梁桂珍 著

文史哲學集成

國語文教學的多元探索

文史哲出版社印行

國語文教學的多元探索 / 梁桂珍著. -- 初版 --
臺北市: 文史哲, 民82
面; 公分.
ISBN 957-547-805-3

1.中國語文 - 教學 2.中國傳記 - 哲學

802.8

國語文教學的多元探索

著者：梁桂珍
出版者：文史哲出版社
登記證字號：行政院新聞局局版臺業字五三三七號
發行人：彭正雄
發行所：文史哲出版社
印刷者：文史哲出版社
台北市羅斯福路一段七十二巷四號
郵撥〇五一二八八一二彭正雄帳戶
電話：三五一一〇二八
實價新台幣二八〇元
中華民國八十二年八月初版

ISBN 957-547-805-3

一個「擺渡者」的心聲——代序

這本小書眞眞正正是一句句「野人獻曝」的心聲，所貴的只是一片關懷文化與教育的赤誠，值得一提的只是每一個觀點都是曾經履行過的記錄。

身爲一個高三國文教師兼導師，從不敢自以爲可以不受聯考領導教學的潮流所影響，何況，本身也是聯考制度下的過來人。只是，較幸運的是在不同時空中，一向多遇「貴人」相助（比如中小學母校嚴格而廣博的通才教育基礎，和多位良師的教誨），「輕舟已過萬重山」，可以作自己無怨無悔的選擇；所以忍不住要向周遭的人表示深切的感謝。尤其作了一個擺渡者後，不免要向舟上年輕而迷惘的皺眉乘客，多作一番指指點點，好叫他們不會放過風景最優美的地方；趕緊點亮一盞盞心燈，從古人的深井泉源中再汲取更多的智慧和經驗來滋潤自己。也許是演說者的「陶然忘我」，竟也感動了坐聽的人，提醒我把這些點點滴滴留下鴻爪見證，於是陸陸續續在中央日報、國文天地、師大校友月刊……中便有了一些雜文發表。如今整理一下，彷彿也有點脈絡可尋，所以把全書分爲四部分。

第一部分的教學法研究改進，可以說是二十幾年來教學經驗的一得之見，雖卑之無甚高論，但可以看出在功利主義的潮流中，在與進度競賽的夾縫中，我的努力和堅持。希望把枯燥無味的教材講得生動有價值，把作者有血有肉的介紹出來，希望教科書能編得更理想、學生的作文能有進步，這些心願相信可以引起一些共鳴，所以也舉出〈評文示例〉〈課外閱讀導引〉二文，甚至爲了及早讓年輕人領略中文的魅力，所以把爲兒童而寫的〈怎樣給兒童講故事〉也錄出。至於〈與考生談如何念好國文〉和〈飛越大學聯考作文的險關〉二文，更可以看出一個陪考生練步的教師的叮嚀再三的苦心。至於第二部分的課文深究和第三部分的學者介紹，可以說是呼應第一部份的理論的實證。旨在證明國文教學的深入分析與縱觀比較其實可與章句講解的鉅細靡遺並行不悖，只要有心穿插，精警豐富的內容更使國文成爲最具吸引力的課程。至於第四部分，可以說是延續我在新亞研究所的心願—結合文史哲的眼光來關懷人生，將學問與生命結合產生更深遠的影響。最後一篇〈從孔子的師道談教師的職業倫理〉，可以代表我心中的尊敬和期許，以至聖爲師，「雖不能至，然心嚮往之。」太史公的話眞是：「於我心有慽慽焉」！

這些雜文能面世，中山女高同事好友和同學的鼓勵是最初的原動力，師大同窗章素貞、梅新伉儷的邀稿是最直接的催生者，甚至在大病後靜養的一段空閒也是因緣成事的機會，至於終能結集成書，還得再感謝好些人。先要謝謝外子的分擔多數家務和兩個孩子的容忍媽媽的不夠滿分，更要感謝中山陳校長的愛護督促，出版社彭先生的爽快付梓和剛考過聯考的三信同學協助校稿。他們幫我完成「拋磚引玉」的心願，希望在國語文教學的耕耘中引來更多先進有道的指教，更期盼人間世有更多讀書教書樂以忘憂的同好，優遊自得在一片桃花源中「相看兩不厭」！

國語文教學的多元探索　目次

貳　課文深究舉隅

叄　民初學者的介紹

肆　生命哲學的探討

壹　教學法的改進研究

知人論世・古道照顏色

——談如何講授課文的作者生平

聽過不少學生曾抱怨：為甚麼課文的作者生平介紹，只像履歷表的，不外是提及生卒年月和官職、著述、和一些「自幼穎悟、×歲能文」，「詩文有名」……等等籠統的形容。筆者除了向他們解釋、限於篇幅，課文作者生平不能介紹得很詳盡，應參考其他有關的記載和文學史上的資料，所以在講授時，也刻意穿插一些小故事和有關的評論，總希望能把作者說成是有血有肉的人，不只是高不可攀的聖哲偉人，或是學不來的天生奇才，以加深學生對作者的親切感。自己在介紹作者之餘，也更體會到前賢的志節風範，時有文天祥說的「古道照顏色」的感覺。現在僅抒一得之見，希望野人獻曝的熱誠，能引出更多的回響與指正。歸納來說，介紹作者生平時當包括下列幾項要點。

一、分析作者的時代背景與成就

孟子曾說：「頌其詩、讀其書、不知其人可乎？是以論其世也。」（〈萬章下〉），所以介紹一位作者，自然不能孤獨的只說其生平而應提及其時代背景，及與同時代作者略作比較，進而凸顯其為人特色和成就。

例如高中課文中〈與孫季逑書〉之文的作者洪亮吉，是清代有名的乾嘉學者，也是駢文大師，所以要運用學術史的知識，介紹乾嘉學派的形成與特色，以見乾嘉學者，雖或由於清代的文網漸密而轉而專心從事於古籍的整理研究，但難能可貴的是學者所擁有的專精力學，樂以忘憂的治學精神。有些淺學不務實者，抨擊清儒「銖積寸累」的皓首窮經，不過是故紙堆中蠹蟲，無補於國計民生，實則不可一概而論。比如洪亮吉雖因官位卑微，不能直接上書言事，仍託成親王及大學士朱珪轉奏，彈劾已過世的貝勒福康安和大學士和珅的擾民耗費，擅權納黨，其至批評群小熒惑，主上視朝稍晏而激怒嘉慶，遣戍伊犂，可見洪氏的有守有爲，絕不爲代風氣所限。而在流放伊犂時，好學的洪氏，寫成《伊犂日記》、《天山客話》等書，成爲談新疆事務專書的先河，啓發邊徼地理的研究之風，更見他「不以隱約而弗務」的著述之勤，令人欽佩。至於洪亮吉何以又擅駢文，則不得不提及清代漢學家對駢文的偏愛，是由於他們反對宋、明理學，連帶也反對唐宋古文，而提倡盛唐以前的文風，所以恢復駢文的地位。洪氏論學之作，也用駢文寫成，可見他的駢文不單只注意詞藻格律，更重視文章的內容與思想感情，所以駢文能卓然成家。

在介紹洪亮吉時，也可以提及高中國文課本中所提及的乾嘉學者，比如寫〈梅花嶺記〉的全祖望，也是博學多才，經學、史才、詞科三者並重，著述嚴謹而家貧好學，伉直有風節，與洪氏風骨頗近似。至於寫〈先母鄒孺人靈表〉的汪中，更是自學成功的一位奇才，與洪亮吉、袁牧並稱清代駢文三大家。至於平日被視爲狂生的汪中，對知交故舊，多所存問，與洪亮吉重視朋友之誼，爲友不辭辛勞奔喪的行徑相近，而且二人孝親甚篤，都令人覺得他們的志節學行，不遜古人，可以改變我們對乾嘉學者的某些成見。

二、突顯作者奮鬥成功的事跡

課文作者生平的介紹，往往只提及他們的天賦聰慧，而忽略介紹他們努力奮鬥的過程，有時也會誤導學生認爲凡是知名的成功之士都是天賦不凡，望塵莫及的，所以對作者多少存有學不來的排斥感，實際上許多被視爲聰明絕頂之士，他們眞正的成就仍得靠下苦工夫。

比如大家所熟悉的「夙慧詩人」白居易，雖然在襁褓中，已「早識之無」，但他自道爲學是「晝課賦、夜課書，間又課詩，不遑寢息，以致口舌成瘡、手肘成胝，既壯而膚革不盈，未老而齒髮早衰白」，可見由於苦讀才能成爲深入淺出，「廣大教化主」的詩人。天才橫溢的蘇軾，不但早受慈母督讀，而且自少及老，每晚必讀經方就寢。被目爲神童的宋濂，更因爲家貧向人借書及爲求名師指點，吃盡苦頭，可見成功的不易。

再說韓愈、歐陽修在科舉功名方面都曾落第失意，歸有光更是八試不逮，又以進士爲小吏，所以學子應多體認學習前人遇挫愈奮的精神，不可懷憂喪志。甚至成名後的歐陽修，爲「免後生笑」，仍不斷的自修，經常讀書於「三上」，即「枕上、馬上、廁上」，分秒必爭的情況，和今日要參加聯考的學生也未遑多讓。至於文天祥的毀家紓難，放棄個人享受而奔走不暇，最後爲堅持節義而殉國，更是至死方休的奮鬥，流芳萬古，豈是易事？但爲理想，九死不悔的精神，更覺成敗不足以論英雄！

三、剖析作者的創作動機

課文的作者生平介紹，往往提及他的著名作品，但如果「照本宣科」，不略加介紹其內容或創作經過，恐怕學生不容易留下深刻的印象，只是強記書名而已！

比如在講授歐陽修的〈新五代史一行傳敘〉時，當然要深入剖析他創作《新五代史》的動機，才能了解是書的體制何以與《舊五代史》相差很大。歐公自述選書的宗旨是：「昔孔子作《春秋》，因亂世而立法；余爲本紀，以治法而正亂君，發論必以嗚呼，曰此亂世之書也。諸臣只事一朝曰某臣傳，其更事歷代者曰雜傳，尤足爲世訓。」由於歐公是一代宗師，言行總想爲天下的榜樣，他的私撰《五代史》，旨在效《春秋》的使亂臣賊子懼，所以特重褒貶，故將《舊五代史》化繁爲簡，集中筆力於列傳；而〈一行傳〉之作，更看出他表彰志行特異之士，爲人間留典型的苦心。

又比如在介紹《紅樓夢》一書時，不免要提及何以作者不明確署名，以致引起許多爭辯，其著書之意亦費人猜疑，當對學生分析其原因，包括囿於傳統風氣和作者本身的充滿愛恨交織的矛盾情緒之故。原來中國傳統中的小說作者，往往喜以「先生不知何許人也，亦不詳其姓字」的方式出現，這多少與揚雄所說的「辭賦乃雕蟲小技、壯夫不爲」的心態有關，所以不願視小說創作爲立言的大事，何況在傳統社會中，不符合衛道忠君的思想的作品，往往被視爲離經叛道之作。《紅樓夢》書中既有大膽的色慾描寫，「古怪的」思想議論，更深刻的描寫大家庭的黑暗面，多少可以預知必將引發衛道之士的批評指責，所以不願明說作者是誰的苦衷可見。另一方面，此書寫作既與作者身世有關，曹雪芹對自己出身的社會和家庭，有留戀也有怨恨，對自己所熟悉的人物也有愛有憎，不免感情矛盾，難坦然於懷，所以乾脆在全書第一章，捏造了四個筆名和離奇的書名，故佈疑陣，但又把自己的名字和選用的書名排列進去說：「曹雪芹於悼紅軒中披閱十載……至吳玉峰題曰《紅樓夢》」，使有心人有跡可循，對如夢如謎的奇書，多一番了解，可見明白作者創作動機才可加深對作品的領悟。

四、探討作者志節以釋疑

在讚美作者之餘，我們也得承認作者是人，不免多少有不盡完美處，但某些傳說以訛傳訛，亦不可不辯，以息學生疑慮，若故意爲賢者諱，或略而不言，有時反使學生易受片面之說的影響，易對作者產生誤會，反爲不美。

比如有人以韓愈的三上宰相書而指其仕宦心切，不甚清高，但假如細讀〈祭十二郎文〉便知他不得不早日求仕的苦衷。由於韓氏家族的貧困，十九歲的韓愈想減輕寡嫂的負擔而往京城求出路，但到二十五歲時才及第，其間在長安是幸賴故人接濟才勉強渡日。貞元十二年，韓愈出任汴州觀察推官，但董晉死後，汴州不穩，便佐戎徐州，不久又被免職，所以欲與十二郎一家團敘亦不得，可見他當時為貧而仕的窘境。至於他上書宰相或權責，也與時代風氣有關，由於唐代以詩文取士，投卷干謁之風盛行，以李白謫仙之才尚且「上書韓荊州」，白居易求謁顧況，可見韓愈的作為亦非大過，何況，這類書信，韓愈能坦白真率的反映自己迫切的情況，亦非故意作偽之辭。

又關於韓愈得病的原因，行狀、墓誌銘都不見提及，而白居易的〈思舊詩〉則曾說：「退之服硫磺，一病訖不痊。」以至引起後人諸多猜測，以為他頗親脂粉，以致風流成病。實際唐代君主，士大夫服藥之風相當普遍，韓愈或鑒於家族人多英年早逝，不免想服藥以求安身延命，亦人之常情，至於他的詩說：「別來街頭楊柳樹，擺弄春風只欲飛，還有小園桃李在，留花不發待郎歸。」指的是他的侍妾柳枝有意逃去，所以只好專寵絳桃侍妾的韻事。但唐代士大夫好蓄妓，亦不只退之為然，所以清代學者王鳴盛認為韓愈念念不忘其婢妾。亦無害其為偉人！正如有人以韓愈曾與大顛和尚交往而疑其晚年不再排斥佛教，但韓愈己自辯：「因潮州地遠無可與語者」，而「留衣服為別，乃人之情，非崇信其法，求福田利益。」他始終認為「釋老之害，過於揚墨」，他的作為，仍是經得考驗，所以胡適的《白話文學史》後來也取消了對韓愈的指責之詞。

總之，作者生平的講述，是要將作者有血有肉的呈現出來，希望學生了解他們奮鬥成功的過程和人格志節的特出處，進而有所激勵取法。所以講授的技巧是要引導學生彷如讀一篇名人的傳記，有助於學生興起尚友古人之情和「雖不能至，然心嚮往之」之志，更能以「大丈夫當如是」自勉，才算盡了知人論世的介紹責任。

商量舊學　涵養心性

——落實文化教材的生活教育功能

隨著社會型態的遽變，世俗人心也日趨功利化，身爲教育工作者，不免感到今日年青的一代太世故早熟，不大肯認同傳統道德和價值觀念，往往言者諄諄，聽者藐藐。如今眞是「儒門淡泊，收拾不住」，要以學校教育的正面指引，對抗世俗潮流的負面影響，的確使人有力不從心之感，但學校畢竟是一個傳道、解惑的場所，有扶持學生日趨於善的責任，必要努力成爲混濁中的清流。教師的春風化雨，仍可產生人格的感召而使「頑廉懦立」，所以如何涵養學生的人格志向，自然是最重要的課題，而善用文化基本教材，多作生活教育，應該是可行的方法。

但今天的國文教學，高一和高二理組。每周只有五節，講授國文課本幾乎都來不及，加上聯考題目中，文化教材所佔的分量甚輕，所以不免有上課之時只是匆匆翻譯一遍便算講授完畢的現象，使文教的教學流於形式化。學生不但難明其中義理，更會因爲內容類似格言的訓示而加以排斥；尤其處於叛逆期中的青年，要他們耐心的上《論語》、《孟子》的課已不容易，更遑論是眞正心悅誠服而影響自己的思慮云爲。所以有一回，公立高中高三模擬考的作文，曾以「我讀論語、孟子最感動的一句話」爲題，以考驗學生的讀書心得和思考見解。本來此題可自行選定內容材料，頗有發揮的空間，但閱卷的結果是「慘不忍睹」，因爲學生能把《論》、《孟》中一句話完整寫出的實在太少了，更遑論有深刻的感情，因此可說文化教材的教學確實已亮起紅燈，有趕快補救的必要。筆者認爲若能將文化教材與生活教育合而爲一，也可以提昇教學的效果，使學生眞正受益，以下提供淺見，希望引起大家對文教的重視。

一、發掘材料，整理內容以加強學習興趣

細心的教師，不難發現在學生日常生活中，最困擾他們情緒的，往往就是人際關係的問題：比如親子間的溝通不良，同學相處時的衝突摩擦，甚至面對社會不公平現象時的態度該如何？都會使學生左右爲難，所以教師不妨多利用文教課來爲學生分析如何改善人際關係的問題。

比如在講孝道時，我們可以承認由於小家庭盛行，許多晨昏定省之禮，無法在今天實行，但一家人相處時，彼此多關懷體貼還是最重要的，能善體親心，不就是古人所說的能知「敬」，能「養志」了嗎？所以孝道也不是很難做到的。至於子女與父母意見不合時，子女固然也希望父母肯體諒自己，但也不妨多借鏡孔子所說的「事父母，幾諫；見志不從，又敬不違；勞而不怨」（《論語．里仁》），和顏悅色、誠懇的與父母溝通。孔、孟都是深通人情世故的人，對父母子女間的爭執情況自然也考慮周到，所以認爲「父子有親」，保持親子的和諧關係最爲重要。孟子便曾說：「責善，朋友之道；父子責善，賊恩之大者。」（《孟子．離婁》），責善之事，不妨透過第三者加以疏通斡旋，以避免親子

決裂，不能得享天倫之樂的憾事發生！

至於朋友相處之道，孔子所說的「益者三友」和「損者三友」的原則，是可供參考的，但學生爲怕寂寞落單或怕跟不上潮流，易以義氣爲重，不肯擇友，所以在提及「毋友不如己者」時，要強調不是鄙視財貌能力不如己者，而是源於「取法乎上」的精神，希望能多交益友而見賢思齊。當然能有子張「尊賢而容衆、嘉善而矜不能」的胸襟，是可與人人爲友的。若相處後，發現對方的確有不少缺點，我們自該先盡好「以友輔仁」的義務、「忠告而善導之」、但「不可則止，毋自辱焉。」提醒學生人格的成熟，便在求能理智處理人際關係，不必在情緒上作繭自縛。能否成爲知己，多少得看緣份，若果在交友時受到情感上的傷害，也要樂觀的找尋其他的「忠信」、「芳草」！

儒家溫柔敦厚之教，雖然予人的印象往往是不敢得罪他人，一切但求和爲貴，但儒者絕不是退縮懦弱的人，更不是和稀泥的鄉愿，孔子被隱者肯定爲「知其不可爲而爲」的人，孟子更有「自反而縮，雖千萬人，吾往矣」的道德勇氣，所以老師不必過度壓抑學生中的狂者。但當告誡他勿好勇過度、要保持理智，能避免「不以人廢言，不以言廢人」的偏激，也能察衆之所好惡，力求「和而不同」、「周而不比」，在面對是非爭執時，仍能保有君子之風！

至於高中學生在面臨文理分組或大學聯考塡志願的時候，往往也有不知如何抉擇的惶恐，所以高中階段也是學生該立志的時機。教師在講解〈先進篇〉孔子與弟子言志的情況時，不妨提示立志貴乎「量才適性」的道理。比如子路當時自負過高，以爲可使外交、經濟、軍事上都有困難的千乘之國，三年後其民變得「有勇知方」，孔子「哂之」是希望他能反省「志大才疏」，不切實際的毛病。但冉求的願爲小宰，公西華的願爲小相，孔子則認爲他們未免過謙，可以有更大的發展，所謂「人無志不立」，所以該鼓勵學生認識自己，認清環境，衡量本身的條件，訂下確實的步驟，全力以赴的實踐理想，以免一生有「高不成，低不就」的遺憾！

二、古語今詮，就地取材以循循善誘

在講解文化教材時，更要多用生活的例子來加以發揮。比如在講及「遊必有方」時，不妨舉電視上一個有名的公益廣告爲例，提醒學生隨時和家人聯絡，以免父母操心就是實行孝道。在講及「父母唯其疾之憂」時，不妨也指出一次車禍的發生，使多少長者備受白髮人送黑髮人的痛苦，希望青年更愛惜自己，小心行動。至於講到子夏喪子至有喪明之痛時，也可提及有一位母親因愛子死於車禍而發起組織「全國車禍受害家屬聯誼會」以協助同病相憐者渡過難關和爭取應有的權益；更有夫婦在愛子被歹徒擄人勒索又殺人棄屍後，便推廣植樹以引起大家重視幼苗的培育，他們的表現，都可提醒我們如何面對人生的危機，化悲憤爲力量。總之，教師若能經常注意社會新聞、多用現實的例子補充教材的涵義，相信更易引起學生的感動而起共鳴！

三、人性體認，使聖賢可親可近

筆者曾要求學生寫過一篇「再一次認識孔子」的作文，發現學生大多因爲認定孔子是聖人，所以覺得他高不可攀，多數人有學不來的自卑，少數的偏激者則視孔子爲傳統權威體制的化身，對孔子產生誤解和偏見，不能體會他的仁者胸懷和經師人師的風範，所以對孔、孟的人格志節，不妨也從人性的角度來加介紹，使學生覺得聖賢可親。比如講及孔子不語「怪、力、亂、神」，更有「未能事人，焉能事鬼」的坦蕩蕩心胸，足證孔子有卓立的清明思想，眞是知識分子的典型，比起今世許多受過科學教育的高級知識分子，爲升官發財而迷信風水勘輿之說，實在高明太多了。

孔子本有意從政，但道不行亦不強求，奔波列國十餘載後，更體認「不知命無以爲君子」，不如作育人材，正詩書禮樂，以繫斯文於不墜。孔子一生未改其欲使「老者安之，朋友信之，少者懷之」的愛人之志，但卻改變了行業，正可鼓舞我們在人生的理想不能實現時，不妨改弦易轍，重整旗鼓，也自有成就。對於急求成功，不能忍受挫折失敗之苦的青年來說，孔子的「發憤忘食，樂以忘憂」的奮鬥精神，應該是最好的榜樣，所以教師不妨把孔、孟爲人處世的作風，多方面的介紹給學生認識。

四、疏通觀念，刺激論辨思考

《論語》中所記錄的孔子言行，有時亦似有相互矛盾處，所以學生如有質疑，教師便當把握機會加以解釋；甚至當學生因爲思慮不周而未能提出問題時，教者不妨主動提出以供學生深思而加強其了解。比如孔子曾說：「富貴如可求，雖執鞭之士，吾亦爲之。」又說：「富貴於我如浮雲」，到底孔子心意為何？其實孔子所重視的是求之有道的原則，所以絕不妄求不義之富貴，更能輕視之。孔子嘉許顏淵的安貧樂道，也要求君子「固窮」、「謀道不謀食」，但對於治國者，卻要求做到富而後教，不可忽視民生問題，畢竟一般人總是無恆產也就無恆心為善，所以孔子不是要人人餓著肚子講仁義道德，強人所難的。

再如孔子對管仲，曾指責他「器小」，貪求個人享受；但當學生指責管仲不仁時，孔子卻說：「管仲相桓公，霸諸侯，一匡天下，民到於今受其賜」，是真正的大仁者！孔子的褒貶是公允的，他責備大人物的缺點是希望世人引以為誡，但也不抹煞其在歷史上的貢獻，所以孔子對同一個人有不同的評價，不是自相矛盾，而是反映他一向所主張的「無適也，無莫也，義之與比」的精神。

樊遲請學稼時，孔子曾以「吾不如老農，老圃」為藉口加以拒絕，這是否反映孔子的士大夫觀念作祟而不屑務實呢？這和今天社會所倡導的職業無分貴賤的說法是否衝突？若記得孔子也說過！「吾少也賤，故多能鄙事」，可知孔子不應鄙視稼穡之事，但孔子希望學生重視修身治國之道而非謀食之事，所以拒絕樊遲所問而刺激其反省，這事也可提醒今日大學生為賺外快而打零工，擺地攤，雖無可厚非，但若只重視眼前之利而忽略學校功課，便有負上大學研究進修之旨，應該知所取捨。教師如能針對古今觀念整理融合、不照本宣科，使學生更能論辨思考，問難質疑，相信聖人的言行多少能對學生人格起陶冶的作用，收到教學的效果，希望大家多作孔、孟的代言人！

循循善誘 點石成金

——談作文教學的技巧

學生寫作能力的提昇，相信是每一位國文老師「念茲在茲」的事，但面對接近六十人數的一班和每周緊湊的教學的進度，如何改完作文已是令人頭痛的事，實難顧及如何提昇學生寫作興趣及加強其語文表達能力。筆者執教高三國文十多年未間斷，在升學壓力下，仍堅持鼓勵學生發揮寫作的潛能，讓他們的文章更好。如今借這機會「野人獻曝」一番，希望能抛磚引玉，獲得在國文教學園地中各位同好的共鳴和指正，希望對作文教學更有所幫助。現在一抒管見如下：

作文實力的培養——奇文共欣賞，源頭活水來

所謂「巧婦難爲無米之炊」，若學生平日讀書不多、感受不深，要寫作時一定有「腹笥甚儉」之嘆，自然談不上什麼興趣，所以教師有責任督促學生養成閱讀優良課外書刊的習慣，培養他們欣賞的能力，進而激發他們創作的慾望，所以教師平日要下的工夫是：

甲、評介範文名著以供參考欣賞：除了規定學生要在交週記時附交剪報及閱讀心得外，老師更要

隨時主動介紹新書名著和報刊上的佳作，以加強學生欣賞能力，儲備作文的素材。像中國傳統小說中的《三國演義》、《水滸傳》、《紅樓夢》，或學生喜歡閱讀的《未央歌》和翻譯名著《飄》等，教師可分析書中結構佈局的起、承、轉、合和呼應處，剖析書中主角的性格特徵，指出書中的微言大義和隱喻含義，以激起學生先睹爲快的興趣。如果學生已曾閱讀，可先讓其發表個人的心得見解，然後再加指引或補充說明，使學生有印證的機會。

乙、訓練學生的觀察力和表達力：老師要以關愛和熱情，鼓勵學生隨時欣賞及發掘生活中可喜可悲之事，以自己敏銳的感覺和多情關懷的心胸去品味人生，自然可以有題材和靈感寫成感動自己和別人的文章。更提醒學生每逢讀到好的文章，要動腦筋去分析歸納作品的主旨，找出作者的思路，研究其取材佈局、遣詞用句的功夫，因此不妨在作品上加以眉批詳注，或摘錄精彩片段於記事簿上，以便隨時誦讀玩味，加強自己的表達能力。並叮嚀學生要養成隨手筆記的習慣，把生活中的聲、光、形、色隨時記敘形容，或每天寫日記，作爲寫作的基本練習，如果實在缺乏時間，也要在週記中寫一段短文感想，維持寫作的習慣。

命題的引人入勝——斜陽芳草尋常物　能用都成妙詞

每個人其實都有話要說，學生未嘗沒有寫作的慾望，但往往要求「對胃口」的題目，因此老師在引導學生寫作時，不妨多注意命題的技巧。一般來說，學生較喜歡新鮮的話題，也希望文題與他的生活經驗相關，所以教師在命題作文時，不妨多注意：

甲、文題應力求變化和美化：老師不妨配合時令或學生的心情命題。比如在暑假輔導或開學以後的第一篇作文，可以出「蟬噪聲中心自遠」、「綠的聯想」、「風雨過後」、「行遠路的準備」等題目，使學生的情緒由煩躁歸於寧靜。十月有許多慶典，不免要有應景之作，但可以改用較感性的文題，如「感恩的歲月——話雙十」、「遙想辛亥當年」、「慶光復、談惜福」、「再造一個光輝的十月」等等。爲鼓勵同學多讀書，不妨寫「青春作伴好讀書」、「書中世界樂消遙」、「夜闌人靜看奇書」、「書香更勝那酒香」等等。

一個學期的作文題目，教師不妨先行計劃預定，遇到偶發的重大可件，自然也可臨時插入討論的文題，但原則上，文題宜由淺到深，由抒情到論說，使學生有機會嘗試不同文體的創作。

乙、多示範破題以培養學生審題能力：爲了適應聯考的要求，更爲袪除學生害怕寫論說文的心態，所以在高三下學期，要經常講解論說文的寫作技巧，要求學生建立論點表達己見。比如可以列出一串相關的文題，以作比較，如談交友之道的「責善，朋友之道」、「君子之交淡如水」、「君子愛人以德，細人則以姑息」三句話中表達的愛護朋友之情有何不同？談擇友的重要，如「君子居必擇鄉，遊必就士」、「與善人居，如入芝蘭之室，久而自芳；與惡人居，如入鮑魚之肆，久而自臭」。「君子以文會友，以友輔仁」，有何共通之處和各題的特色重點何在？訓練學生聯貫和分析的能力。

聯考作文多是正面的論點，所以要學生早作心理準備，不能盼望題目還有「糖衣」，也不必力求

「語不驚人死不休」，但務必切題立言，不可自說自話。在看到文言的論說題時，不用害怕而不妨先將之與一題較白話的文題貫通來想。比如遇到「士先器識而後文藝」一題，如果知道器識即是指胸襟、度量與識見而言，便不妨設想「爲學與做人」之理，把「君子之學以美其身」和「士不可不弘毅」的觀念綜合發揮；甚至可把此題視爲白話的「論知識青年應如何培養義務感與責任心」看待，強調培養服務的人生觀和樂於犧牲奉獻的精神的重要，由此自可表達題旨大義。

但近年聯考的文題趨向簡易，甚至使考生有淺白到「無話可說」之感，所以也要學生克服厭惡的態，淺題深作。比如「論同情」一題，可先從反面談同情不等於施捨憐憫，更不是「姑息養奸」之舉，再從正面談同情爲人類互助、利他、博愛、無私的崇高情操，由惻隱之心可以締造和平友善的世界，由同情不幸可進而爲天下大仁大勇之事，如此擴充立論，便可將「題之熟者」亦說到「深中肯綮」處而見特色。總之，要提醒學生審題時務必要掌握重點，行文亦貴乎凸出要點。如「一本書的啓示」，重在寫啓示，某書的內容簡介則可。又如「安和樂利社會的省思」重在寫省思，社會現況的描述不能「喧賓奪主」。學生若習慣思索文題的特色，作文時絕不至於離題。

批改的循循善誘——暢其所言，欲罷不能

批改作文的基本要求是將錯別字、文句不通順的地方加以指正，但眞正的目的是希望由於老師的引導，激勵學生有欲罷不能、精益求精的決心，不斷要求自己的作文更好，所以老師批改時要多下功

夫。

甲、個別指導不憚煩：老師在詳細批閱作文前，不妨先將全班作文圈點一遍，大致分出上中下三等，以了解全班的水準程度如何。可先行詳閱兩三篇較好的，以作爲範文。並將離題太遠、篇幅過短或見解有問題的作文先挑出，請學生來當面指導，或將範文給予閱讀，討論其得失，使學生了解自己的缺失後，再重作一篇來評閱。這種方式可以避免學生作文分數太低，或因大幅刪改而減低學生寫作興趣。雖然因此付出較多的時間和精力，但以身教使學生知道不能馬虎過關，下次作文時會更用心，所收到的效果是長遠的，只要不憚煩的指導，學生作文的進步，也會日漸見到。

乙、欣賞肯定多共鳴：老師評閱作文時，不必帶太強烈的主觀色彩，非要學生按一定的模式寫作不可。不妨以客觀的態度，接納學生的看法。遇到學生思想見解的確不成熟時，也不必直斥其非，評文的語氣不妨帶有商量研究的味道，或建議其如何改進。只要老師保持溫和理性、欣賞接納的態度，學生必被感動而能溝通意見。眉批時可作細部的糾正，不避諱的指出其缺點，但總批時不妨多褒少貶，先褒後貶，使學生不致有全盤被否定，心血付諸流水之感。尤其對學生作文比過去有進步，便不妨加以讚美肯定，不必老按全班水準而認定其作文較差，使之更視作文爲難事，「退避三舍」。

丙、啓發善誘求全備：對於作文程度較高的學生，老師評文時除了多加鼓勵外，也可旁引相關的詩詞佳句，作爲印證，以激起共鳴，使其更能廣開耳目。但有時亦不妨針對其弱點，要求他在取材佈局時，力求妥貼自如。比如一般女生較偏愛寫抒情文，老師便應指出條理明晰的論說文，是一種「繪事後素」、「歸眞返璞」的訓練，爲求作品更上層樓，必須先求風格的突破，不必爲了分數或獲得別人的讚美而不敢寫論說文。

對於文章已通順流暢的學生，不妨更要求他們作章句的鍛鍊，但所謂鍛鍊，不一定要求文章內容曲折離奇、驚人耳目或者文句詰屈聱牙，費人猜疑，而是要求文章能深刻生動，「平中見奇」、「常中見新」、「於好發揮筆力處，極要用力，不可輕輕帶過。」有如《幽夢影》所云：「理之淺顯者，宜運之以曲折之筆。題之熟者，參以新奇之想；題之庸者，深之以關繫之論。」以顯出文章的特色。再說文各有體，論說與抒情的筆調不能一般模樣，論說之作，貴乎持論成理，論點鮮明，浮文妨要，堆砌過多反爲不美，學生有時得作大力的剪裁，才能繁簡得宜，輕重分明。

在老師循循善誘下，學生的寫作也欲罷不能，在升學壓力下，仍能爲明日文壇上孕育奇葩異卉。請相信老師如果愛好寫作，在學生中必能找到同好。辛勤的園丁在播種耕後，總喜見桃李笑春風！

化有限為無限

——勿讓命題作文難倒你！

一般國文老師都怕改作文，因爲有時滿紙煙雲，卻離題萬丈，搔不著癢處；至於只有表面鋪陳、毫無深意之作，更是讀之乏味。而命題作文，不但程度較差的同學視爲苦差事，甚至許多有興趣創作的同學，也往往埋怨文題不合口味，發揮不出實力。但既然平日作文和考試都用命題作文的形式，所以與其抱怨，不如多費點心思，在命題作文中，也能把文章寫得更生動。本文提出一些值得大家注意的事項，希望幫助同學在命題作文的限制中有所突破，而能激發自己創作的慾望。

確實的審題辨體

既然是命題作文，必然有題目本身的限制，這正是所謂的「遊戲規則」，離題便是最大的禁忌。但要「從心所欲不逾矩」，自然先要仔細審題，掌握住題目核心，才能「出新意於法度中，寄妙理於豪放之外」，也才能決定該用何種體裁下筆，如何取材。

在審題時，可以參考英文所謂的「三W法」，即把題目區分爲「何謂？爲何？如何？」等各方面考慮。以今年夜大聯考的作文題目：「赤子之心」爲例，本文可從何謂赤子之心？赤子之心有何價值？或如何保有赤子之心等多種角度立言。由於題目出於孟子所謂：「大人者不失其赤子之心」一語，便可知赤子之心的可貴，但要配合今日社會情況來說才有親切感。在人心險詐、互不信任的氣氛下，人與人之間其實更渴望一股眞誠對待、相濡以沫的感情，所以赤子之心不是幼稚無知，而是善性與情感的流露，更進一層也可反面指出雖然擁有赤子之心，或許有時會遇到「君子可以欺其方」的事發生，但總比過於圓滑世故，失去單純正直的快樂來得好。至於談及如何保有赤子之心，更宜多以實例證明，因此本文作法，最好筆鋒帶感情，以夾敘夾議的方式，呼籲大衆共保赤子之心！

適當的取材剪裁

審題辨體以後，便要衡量如何選材及安排佈局，以表達題旨。英國小說家斯沃夫特說：「最好的文章，須用最好的字句在最好的層次。」文章取材最忌「貪多務得」，總要割愛無關宏旨之言，加強渲染映襯重心所在處，才能使人留下鮮明的印象。

由於文題本身含義有寬緊的不同，所以立言取材時的大方向也當有所區別，大致是「寬題窄作」、「窄題寬作」，以大學聯考的文題「變」爲例，由於可從不同角度來著眼，所以屬於「寬題」。考生面對文題時，可能不知從何著手，所以大多只會應用一句廣告詞：「有所變，有所不變。」以致含義多元的文題，內容竟多雷同一響。遇到這類文題，先要把範圍縮小，決定要談社會變型的省思？或是生命蛻變的意義，談自己成長的經驗，還是要談創新變革的原則？由於考生的人生閱歷經驗有限，成長的過程中，雖偶有挫折不幸，但還不足以成為激勵他人的榜樣，如果行文以自我成長蛻變為主，則易流於瑣碎，不易引起共鳴。所以除非本身確有深刻的感受可以發揮文題，否則就應從社會蛻變的角度來著墨，使文章不過於侷促一隅。至於像「論同情」、「論虛心」等文題，由於已界定清楚為論說，此時即應窄題寬作，把同情、虛心種種的好處加以強調，並用反面材料以論列不能具備同情、虛心的害處，為免文章內容單調乏味，更要多舉例引證，在嚴肅的議論中，保持親切的風範，以求娓娓動聽。總之，界定題旨核心和取材寬廣之間，往往是息息相關的。

安排佈局的技巧

古文講究起、承、轉、合之道，所以有所謂「鳳頭」、「豬肚」、「豹尾」之說，即「起要美麗、中要浩蕩、結要響亮」之意。也許一時不易做到，但起碼行文要層次清楚，言而有序，輕重分明，繁簡得宜，因此關於這方面的技巧，我們不妨多加講究。

甲、文章開端引人入勝：所謂「萬事起頭難」。起筆數句往往是全文開宗明義之言，不可不講究。起碼要做到胡適先生所說的「開門見山」、「水清見底」，不要將首段胡扯一氣，牽引過廣，成為閒散筆墨，便是大忌。一般抒情感懷之作的開頭，多是即景抒情，直抒胸臆；或寓情於景，舖敘委婉；或比喻象徵，引起題意。至於論說之作，可用解釋法、援文法或問答法開始，但如果自己確有與衆不同的見解，不妨入手擒題，先提論點，爲下文張目。課文中的〈六國論〉，一開始便點出：「六國破滅，弊在賂秦」的觀點，下文反覆陳述理由，爲自己理論辯證，便是起筆不凡之例，大家可以參考。

乙、中幅衍生枝葉：好的開頭，固然重要，但多數文章，仍把重點放在中段，如由根蒂抽出繁花綠葉，搖曳多姿。在記敘描寫時，不是平鋪直敘的沒有起伏，不妨用些譬喻、誇張、摹狀的手法，加強重點特色。在抒情述懷時，不妨用對比、暗示、擬人的技巧，使情感在簡潔而嚴格妥帖的形容詞中，自然的流露出來。而在議論說理時，不妨用些正反對照、層層反詰，或舉例引證，欲抑先揚之法，使自己的見解更形突出。有時也不妨一面析理、一面陳情，以激昂慷慨的言論，激起人心的共鳴。但技巧的應用，不如內容充實的重要，所以要恰如其份，能做到牡丹綠葉，相得益彰是最好不過。

丙、結尾臨去秋波：論說文的結尾，要明快有理，可以穩住陣腳爲上，所以多數是把全文要點再「畫龍點睛」的提出來。至於像賈誼的〈過秦論〉，提及秦之亡，在「仁義不施，攻守之勢異」的結論便戛然而止，可以說是險招。這種「卒章顯其志」的方法是因爲秦亡的原因，其實是人所共知的，作者並無新義補充，所以要從秦的強大開始立說，蘊積反詰何以秦亡的力量氣勢，避免一說便俗的不得已之舉，但是最後才點題的手法，一般作文不宜採用，以免使人有離題感。

鍛章鍊句的功夫

多數認定自己沒有文藝術細胞的同學，就是由於作文時只知平鋪直敘，不懂運用佳言美句，以致

「自漸形穢」，其實「修辭本乎誠」所謂鍛章鍊句的功夫，最重要還是誠摯的寫出心裡的話，不在乎能否堆砌華而不實的句子。所謂「一語天然萬古新」，純樸有力的話，往往是最動人的。因此本文不願多討論繁複的修辭技巧，以免同學更形顧此失彼，只就最簡單的原則，提供一些意見以供參考：

甲、深刻直捷勝於浮泛間接：好的文章，總是「事出於沈思，義歸乎翰藻」，詞與理稱，文質彬彬，所以說理表達時，總要精警有力。就以今年高中聯招作文「泥土」爲例，在審題時，同學便要辨清它的象徵意義是什麼，如果把泥土比作根本，自然可談到鄉情、鄉愁，所以在行文時，可以擬人格筆法，把泥土視爲故鄉的老母親，直接傾訴濃濃的鄉愁，提醒人不可忘本。也有人感嘆時人多忽略泥土的重要性，以致破壞水土保持，引起嚴重的環保危機，這觀念也可以入文。而泥土的重要是一說便明的；我們可以「大地之母」、「萬物之母」直接稱之，以引起閱讀者明確的印象。提起泥土對人類的包容寬恕之情，可以借用泰戈爾說的：「泥土受侮辱，卻報之以鮮花」的話來印證。行文時要強調的是泥土堅忍的母性，仍承受不了人性貪婪的摧殘，所以要提醒人的危機感，像一個不孝的子女要向痛苦的母親早日贖罪，才使文章達到「爲時而著」的使命而形深刻有力！

乙、具體形容勝於抽象說明：如果要說出一個地方風景優美，光說「有山有水，棒極了」是不夠的，總要像攝影時獵取鏡頭一般，找出山水幽美的角度，來個大特寫，具體呈現它的清麗或雄壯之美。比如在「泥土」一文中若談到環保的重要，便要用有力的事例，把今日地球的危機更具體的表達出來，余光中新作〈禱女媧〉詩中，便有可供借鏡之句：「灰黑的陰影千絲萬縷 從所有的煙突裡正蜿蜒地

升起　沿著所有的河道蠕蠕地爬來　匯成了新的巨魔，絞繞著山林　祟著廣場和街巷　噬著細胞　咒著病蝶的肺葉，令人懨懨　出瓶的瓶妖不甘再回瓶　愈長愈高，臭氧層岌岌的危頂　可驚頂穿了一個漏洞　瀉吧瀉吧！光譜的虹瀑　紫外線決堤潰下的暴洪」。

丙、翻新古語而用之：清代詩人龔自珍的詩，常能予人「不落窠臼」之感，就是他能翻新常人古人所見，比如詩中多是傷春悲花謝的句子，他偏說：「落紅不是無情物，化作春泥更護花」，便令人耳目一新。堂上或應試作文時，要在有限的時間中字斟句酌實在不易，但如平常能留意吸收一些感動自己的句子，經常玩味，作文時便可派上用場。比如在提及自我體認生命的意義時，可以借用東坡先生說過的「長恨此身非我有」而轉化爲「不恨此身非我有」，以強調生命是由許多人直接或間接幫我成就的，除了珍惜，還要懂得感激、回饋，將大愛還諸天地；由此談及大我與個人的息息相關處，更覺淪肌浹髓。總之，「斜陽芳草尋常物，能用都成絕妙詞」，肯多用點心思，自可化腐朽爲神奇，收到「平中見奇」、「淺中見深」的效果。

持之以恆的興趣和練習

歸根究底，要寫出一篇好的文章，還得看作者的性情愛好而定。所謂「誰想做一個詩人，他必須自己是一首眞正的詩。」唯有保持開放的心胸和敏銳的感覺，才能以自己的睿智和多情，品味大千世界的形形色色，才能細心的發掘到生活中隨時有可悲可喜的人情世故，自己受用之餘也能與人分享。

如果狂妄自大，不肯反省；或者心靈閉塞，不屑與人溝通，永遠找不到讓自己感動的事例，只覺得「太陽之下無新物」，那又怎有寫作的材料和興趣？所以前人說：「有眞人品然後有眞文章」，文章總與胸襟修養有關的。

有心寫作的人，首先要對人生有觀察的習慣和欣賞接納的興趣，以儲材備用，增加生活的濃度。但生活的藝術化不一定要浪跡天涯、走遍世界，也不一定要歷經悲歡離合，幹過大事才有閱歷可言。相反的過著「有如守節般清麗」的日子，只要能保持心靈的清虛明淨，自能容得下天光雲影，紅塵瑣事，也才能把感動自己的事和人留下鮮明的形象，形諸筆墨，化成傳遞心聲的精靈。

任誰都知道，多讀和多寫是作文進步的不二法門，但多讀不只是經常大量廣的吸收養料更要細心的過濾和消化。平日讀到好的作品，要動腦筋去分析歸納作品的主旨，找出作者的思路，揣摩其中遣辭造句的技巧，因此不妨在作品上加以眉批注明，或將精彩的片段鈔錄在小本子上，以便誦讀玩味。爲加強表達能力，更要養成隨手作筆記的習慣，記錄生活中的點滴，當然利用寫日記或週記的機會來練習作文，更是一舉數得。

但文章要寫得好，不完全依賴執筆時的靈感泉湧，揮灑自如，貴乎肯再三易稿修改。簡單的說：只要有創作的興趣和不斷鍛鍊的恆心，文章必能動人，可別忘了曹雪芹寫成《紅樓夢》的感受是：「字字看來皆是血，十年辛苦不尋常」，好的作品自然是千錘百練而成的！

飛越大學聯考作文的險關

命題作文的限制本已較多，尤其要在應考的有限時間內寫出一篇切題發揮的文章，更不容易。所以許多考生只好把大學聯考時佔國文科百分之四十分數的作文「放棄」，一切聽天由命，但盼能遇到一位「菩薩心腸」的閱卷先生好讓自己輕易過關。當然要文章寫得好，的確要靠多讀多寫的累積工夫，沒有什麼速成之術，但若能掌握作文的基本技巧，磨練表達的能力，仍有助於考生臨場的表現，下面便提供一些經驗，以供參考：

考前的了解與準備

一、熟悉題目的類型，演練對策

歸納歷年大學聯考的作文題目，可分為三大類，計為：

甲、以格言佳句命題的論說：比如：「論己所不欲，勿施於人」、「孟子云：『生於憂患，死於安樂』試申其義。」「荀子云：『終日而思，不如須臾之所學』，試申其義。」，「曾文正公云：『風俗之厚薄，繫乎一二人心之所向』，試申其義。」，「言必先信，行必中正說」等等。這類文題、既然多出於課文中，平日上課留心聽講，準備文意測驗時，多求了解，自然不會太離譜。但由於文題的限制，頗令學生望而生畏，不敢盡情發揮，所幸近幾年的聯考中，已不見此類文題，考生稍可放心。

乙、以時事省思或敦品勵志立意的論說：比如：「論恕道與公德」、「自由與守份」，「自立自強說」，「論同情」，「論精神生活與物質生活」，「安和利樂利社會的省思」等等。由於這類文題，多與時事、社會風氣有關，所以平日不可不讀報，以免不了解社會現象。報刊的社論、方塊、專欄都是參考的好資料，閱讀時要思考其論點如何發揮，以加深印象，使自己「腹笥」漸富，不致有「巧婦難爲無米炊」之嘆。預測此類文題，仍是出現機率最高者，考生應特別留意。

丙、可以自由聯想發揮的文題：比如「燈塔與火炬」、「人性的光輝」，「赤子之心」，「變」等等。由於此類題目賦予考生較大的發揮空間，所以頗受好評，也成了聯考作文的另一股潮流趨向。但由於題目範圍太廣，也使部分考生慌了手腳，不知從何著手。的確，靈活的文題，對於一向讀死書的考生最爲不利，唯有平日多讀好文章，保持敏銳的心思，才能有深刻的感受和領悟，寫出有見解的感人之作，應考時要借助於平日的經驗和心得，更要取材精警，才能映襯題旨，發揮得宜。

二、克服心理障礙，疏通觀念

考生害怕作文，更是嚴重影響作文的成績，所以及早去除下面所說的心病，方可不憂不懼，從容應試。

甲、不要害怕文言的文題：聯考作文多是要求作正面的論說，所以考生平時要有心理準備，不能只盼碰到一道容易抒發情感的文題，更不能害怕文言的題目。比如碰到「士不可不弘毅」的文題時，先想及曾子之言是要士人知道任重道遠而不可不恢弘心胸、堅毅意志之意，便可以把此題與「論現代知識青年應如何培養義務感與責任心」一題聯想，談及士子應高尚其志，有服務的人生觀和樂於犧牲奉獻的精神，才算盡了人生的責任和義務，也就是一個能弘毅之士。能多方聯想，把文言題目當白話文題看待就可以不致怯場了。

乙、不要厭惡單調的文題：近幾年來。聯考的文題漸趨簡易，甚至有時使考生有淺白到無話可說之感，所以考生也得克服排斥的心態，淺題深作。比如「論虛心」一文，可先從反面談及驕者必敗的道理，多引歷史上事例爲證，再從正面談及虛心不自滿是使自己永遠進步的良方，歷史上眞正建功立業的人物，多能保持「聞過即喜」，「見善如不及」的謙虛上進的心態。可以提及「泰山不辭土壤，故能成其高；河海不辭細流，故能成其深」之理，再強調人人能保有虛心，社會才能停止紛爭，人類才能有更多的進展。如此擴充立論，亦可將「題之熟者」，也說到深中肯綮處而不至於內容單調貧乏。總之，考生先作好適應各類文題的心理準備，才能從容見招拆招。

應考時的作文技巧

一、確切的審題辨體：

命題作文的大忌是離題自說自話，所以考生要掌握文題的核心思想，方可之論構思。在審題時可以參考英文所謂的「三W法」，即是把文題區分爲「何謂？爲何？如何？」等各方面來考慮，然後決定以何種筆調行文，如何取捨材料？以去年夜大聯考的「赤子之心」一題為例，考生可從何謂赤子之心？赤子之心有何價值？或如何保有赤子之心等多種角度著墨。由於題目出自孟子所說的「大人者，不失其赤子之心」一語，可知赤子之心的可貴，但要強調赤子之心不只是童稚純真無偽之心，更是成人善性與情感的流露，所以取材時可以配合今日的社會風氣來說，指出在人心陰詐，互不信任的氣氛下，大家更渴望可以找到善良誠信的人，彼此能眞誠相對，相濡以沫。也可反面指出雖然擁有赤子之心，有時遇到「君子可以欺其方」的情況，會容易受騙或受到傷害，但總比過於圓滑世故、失去單純正直的快樂或者人與人的互信來得好。至於談及如何保有赤子之心，不妨多以生活的實例說明，因此本文的作法，最好是夾敘夾議，以帶感情的筆調呼籲大衆共保赤子之心。總之，命題作文一定要切題發揮，比如寫「一本書的啓示」，重在寫啓示，內容不必太佔篇幅，所以考生在每段結束時，不妨回頭看看文題，以免如「一行白鷺上青天」，越飛越遠，文中更要有點題之句，以求眉目情楚。

二、精警的起筆和結句：

有人曾說一篇文章，最好起如鳳首，峥嶸不凡，中幅浩蕩廣大如豬肚，結筆有力如豹尾。的確，起筆數句，往往是全文開宗明義之言，也是一般閱卷先生所最重視的，所以不可不講究，起碼要做到胡適先生所說的：「開門見山，水清見底」。切忌首段只是胡扯一頓，免至使人有「餘不足觀」之厭棄感。一般論說可用解釋法，援文法或問答法開始，但如果自有見解，也可入手擒題，建立論點，為下文張目。比如「論現代知識青年應如何培養義務感與責任心」一文，可先引西哲培根之言：「知識即是力量」所以擁有知識是可喜之事，但隨即可接著補充：我國素有「人生識字憂患始」的說法，而憂患意識是源於使命感與責任心而來，因此也可說知識即是責任，由此點明知識青年當有「以天下爲己任」的精神，直接指出青年的責任與義務後，下段便可提及「如何培養」的方法了，起筆能逕直切題最好。

論說文的結尾更要明快有力，以綰住全文之意，所以通常是把全文要點再加畫龍點睛的呈現出來。但部分考生，習慣在全文結束時，喜歡用呼口號的方式處理，如說：「青年朋友們，讓我們一起努力吧！」，成爲畫蛇添足之舉。有人愛用「你說，是不是呢？」這類的反問語氣，令人覺得不耐，影響對全文的觀感。所以結束要做到「卒章顯其志」，鏗鏘有力，或臨去秋波、顧盼多姿才好。

三、適當的取材剪裁：

前人說：「文章淺而淨尙勝深而蕪」，所以文章取材最忌貪多務得，總要割捨無關宏旨之言，加強渲染重心所在處，才能使人留下鮮明的印象。由於文題本身的含義有寬緊的不同，所以取材亦自不同，大致的原則是「寬題窄作」，「窄題寬作」。以「變」一文爲例，由於題目含義甚廣，所以考生先要把文題範圍縮小，界定內容的範疇，先決定要談的是社會變型的省思，還是生命蛻變的意義？要談自己的經驗感受，還是要談創新變革的原則？方向決定後，取材也可斟酌了。有些考生，思想見解受到坊間範文所左右，不論抒情言志之作，也一律義正詞嚴，慷慨激昂一番，不免予人「大煞風景」之感，也有些把序言引論寫得太長，反而無暇照顧正文，以至有頭重腳輕或本末倒置之病，都是不知如何取捨材料以求繁簡得宜，輕重分明所致。取材貴精不貴多是最高明的。

四、簡明有力的措辭

閱卷者最希望見到的是一篇清新有力的文章，退而求其次，也希望文中能持論成理，自圓其說，所以鍛章鍊句也有需要，但所謂「修辭本乎誠」，貴在「一語天然萬古新」，不在堆砌華而不實的詞句，下面只提及最扼要的原則，以免考生因講究繁複的修辭技巧而有顧此失彼之感。

甲、深刻切直勝於間接浮泛：比如去年北區公立高中聯招的文題：「泥土」，若平鋪直敘介紹泥土形成的過程或其重要性，不如直接稱之爲「大地之母」，「萬物之母」，提到泥土象徵堅忍的母性，更可借助泰戈爾所說的：「泥土受侮辱，卻報之以鮮花」之喻，以歌頌其包容與寬忍之偉大。文中要強調重視環保之意，可以說是貪婪的子女向老病的母親需索太多，眞是罪孽深重，要有貼切具體的形容比喻才能深刻動人。

乙、借重或翻新現成之語：平日看文章時，能把警句記下，多少在作文時可以派上用場，但並非「照本宣科」而是「師其語而不師其意」。比如在「變」一文中，能借用孫慕稼所說的：「未經憂患的人生，不是幸福而是平淡；未嘗失意的人生，不是欣慰而是膚淺。」來強調蛻變就是轉機之意，便顯得有深意可取。有時能翻新古人的句子，也有「點石成金之妙。比如可以借用東坡所說的：「長恨此身非我有」而轉化爲「不恨此身非我有」以強調生命是由許多人直接或間接幫我完成的，因此要懂得感謝和回饋，將大愛還諸天地，用此語以提及個人與人我的息息相關處，更覺淪肌浹髓了。

切要力戒的毛病

一、未曾完成全文：文章雖有見解，若不能完稿，分數奇低，所以考生務必把握時間完卷，篇幅也不能太短。

二、再三塗抹，卷面凌亂：此類考卷，觀瞻不雅，甚至使人有「不堪入目」之感，所以考生寫字不宜過於潦草，更不要塗改過多，字形不宜過大過小，墨跡不宜忽淺忽深，要以整潔的卷面爭取閱卷者的第一好印象。

三、錯別字過多：考生最易把「影響」寫成「影嚮」，「反映」寫「反應」，「驅使」寫成「趨使」，總予人程度不高之感，所以力戒錯別字的出現，自可有助於成績。

慌張中的急救術

考生在接獲試題時，不妨先深呼吸一下，減輕緊張的情緒，可以先瀏覽一下作文題目，但應該先把選擇題做完，再利用三、四十分鐘的時間作文。如果一時毫無頭緒，不妨在選擇題中的閱讀測驗，文意測驗和閱讀中找出有否可借用的資料或例證，以方便行文。當然平日讀文章時，能養成思考批判的習慣，大有助於臨場時靈感的湧現。在作文完成後，再檢查一遍以減少語病，更是必要，希望考生能冷靜的展現實力，獲得理想的作文分數！

與考生談如何唸好國文

——舊學新知鎔一爐，讀書提筆興趣高

考季又近了，萬千高中生正「礪兵秣馬」準備通過聯考的關卡。也許平日在學校裡大家只感到英、數兩科難以得到高分，但自從拿到報名簡章後，參看去年錄取的分數，便知道要考上好的科系，國文科拿到八十分左右，而這標準似乎不易達到，因爲國文一百分中，作文佔了四十分，而一般的常態分數只是二十分上下，那非得在六十分的選擇題中拿個五十多分，這也頗不簡單。因爲，國文科的測驗題，除文意、閱讀測驗是單選外，都是多重選擇題，多選或少選了答案都會失分。而在一片改革聲中，大學聯考的命題趨勢，必更爲活潑與多元化，因此在今後一個月的衝刺時間中，考生還得要在國文科多下功夫。別忘了，如遇總分相同時，分發先後是按國文成績的！國文沒有考上高標準的分數，許多科系都會像「煮熟的鴨子也飛掉」啊！筆者在此提供一些意見給大家參考、希望考生都能把國文唸好：

一、務本摘要先熟讀

觀察分析歷屆國文考題，最容易得滿分的是文意測驗，因此考生應該確實掌握，在複習課文時，

要注意文言文中的生難詞句，務必要讀得周到。要了解整句含義或隱喻，不能只背單字或單詞，以免在選擇時誤選了部分正確的答案（因爲每題中，總有一個與正確答案類似而並不完全的次要答案）。原則上答案的標準以課文注釋爲根據，所以考生不必貪多務得，先求把課文注解讀熟爲要。更不以爲重要的文句已在歷屆題目中出現過，便心存輕忽，實際聯考題目重複的也很多，因此生難詞句多熟讀，準錯不了。複習第一遍時，把重要的句子畫線，以便第二次複習時節省時間或引起注意，都是很管用的。

二、融會貫通不憚煩

常識測驗的題目，主要出自作者及題解部分，也應該是考生容易拿分數的，但這兩三年來，題目的傾向是打破課文的限制，以整體概念爲主，因此在複習時，務必培養打通課文閱讀的習慣，多作比較綜合的工夫。比如作者可按時代先後臚列出來，也可按作者的人品事功分類，比較其成就及著作，以加深對其認識，才不致鬧「張冠李戴」的笑話。平日大家對影星、歌星的緋聞，多方打聽，殊感興趣，能夠「不薄古人」，多對他們的行誼了解，一定不致把作者生平混淆的，爲了幫助大家作整理，筆者按時代先後，介紹課文作者的梗概如下：

學者（經學大師）：左丘明、荀子、墨子（韓非、鄭玄）、顧炎武、全祖望、洪亮吉。（理學大師：朱熹、王守仁。）

政論家：漢朝之鼂錯、賈誼，近人中之梁啓超。

史家：左丘明（左傳、國語）、司馬遷（史記）、班固（漢書）、連橫（台灣通史）。

文人兼政治家：呂不韋、諸葛亮、曹丕、魏徵、韓愈、柳宗元、范仲淹、歐陽修、司馬光、王安石、錢公輔、蘇軾、蘇轍、劉基、宋濂、方孝孺。

詩人：魏曹植、晉陶淵明、唐王維、李白、孟浩然、杜甫、崔顥、岑參、王之煥、白居易、（另韓、柳、王、蘇亦以詩名）。

詞人：李後主、（溫庭筠、韋莊、馮延巳）、周邦彥、（朱敦儒）、李清照、陸游、辛棄疾。（另范、歐、蘇亦以詞名）。

古文大師：司馬遷、班固、韓、柳、歐、王、蘇、劉基、宋濂、方孝孺、歸有光、方苞。（袁枚、汪中、洪亮吉則駢、散皆擅）。

小說家：劉義慶（世說新語）、施耐庵（水滸傳）、羅貫中（三國演義）、吳敬梓（儒林外史）、曹雪芹（紅樓夢）、劉鶚（老殘遊記）。

殉節之士：屈原、文天祥、方孝孺、史可法。

至於課文體裁部分，更要深究其內容性質，比如所選讀的「記」當中，細究便有所不同：

第一類記：（以地名爲題）

始得西山宴遊記（柳宗元永州八記之一，山水遊記兼抒情）。

梅花嶺記（全祖望追述軼事、表彰節義並非遊記）。

第二類：甲、以建築物爲題，別有寄意。蒼霞精舍後軒記（記敘兼抒情、追憶妻與母之作）

岳陽樓記（記敘兼議論，范仲淹借事抒情，自寫懷抱）。

黃州快哉亭記（記敘兼議論）、墨池記（托物言志，記議交錯）

乙、以事爲題

義田記（記敘兼議論，錢公輔旨在表揚義舉）。

第三類：桃花源記（陶潛桃花源詩前之敘記文、寓言寄意）。

再如「序」，又可分書序及贈序，分析如下：

甲、書序

第一類：黃花岡烈士事略序（國父爲鄒魯之書作序）。

第二類：五代史記一行傳序、台灣通史序（作者自序於書前）。

琵琶行並序、正氣歌並序（作者詩前之序，點明作詩之原委）。

另外：張中丞傳後敘，乃韓愈補李翰張巡傳之闕而作，議論兼敘事，名曰後敘，蓋體例有別於一般之敘事及讀後也，但仍屬序跋類。〈天工開物卷跋〉──後序

乙、贈序

師說：（韓愈贈李蟠，闡明從師問學之道及尊師重道之理）。送東陽馬生序：（宋濂道爲學之理以曉馬生及學者）。

相信考生自己按照這原則來整理，所得的印象必是深刻而完整的，在讀課文題解時，多注意其主旨及特色，必能得心應手，左右逢源。

三、不薄今文喜新知

自從成語、詞語改爲多重選擇後，要在這項目拿高分便不容易，因爲題目注重的是成語及詞語的運用是否妥當，所以常教程度普通的考生有「舉棋難下」之嘆，幸虧聯考中的題目，並非偏向深奧罕見的成語、詞語，所以考生不必鑽牛角尖，猛背成語典中的澀難成語，只要在答題時，小心考慮其中特別的一兩個答案，是否別有所指，便不難判斷出其用法是否妥帖。在複習時，論語、孟子中的嘉言讜論要多背誦，課文中最被大家忽略的白話文，也有不少成語、詞語會出題的，因此不能忽略。同時。每天要維持讀報的習慣，不論多忙都要抽空看一篇社論和專欄，並特別注意其中引用的成語，累積下來，所得便多，應考時便可以「望文生義」了。

四、鍛煉表達常提筆

相信不少過來人都同意，聯考中決定國文（甚至全盤）勝負關鍵的，往往就是作文。由於作文分數的出入頗大，加以作文程度的提高，並非「一蹴可及」之事，所以許多考生以爲這一切只有「聽天由命」了，但聯考作文所要求的標準，大抵不外是內容要切題，卷面要清爽整齊，因此只要考生特別留意，也不該有「無力感」的。

考生在作文時，最重要是不慌不忙，仔細審題、看看題目的重心所在，然後下筆。有些題目本身的含義很清楚，如七十二年日大的「看看自己，關心別人」，題目重點在指出兩者並行不悖，相輔相成，所以可就「己立立人，己達達人」的意義發揮。但有些題目是出以比喻之詞的，如七十三年的「海不辭水，故能成其大，山不辭土石，故能成其高」。所以文中首段最好便能點出題目大旨在強調人當有包容萬方之量，方能德業高超、成就甚大。釋題無誤，便是全文骨骼已立，文章中段之申論，可以引證比喻，亦可正反辯論，使題意充份發揮，如果結局能精警有力，反照全文，便是一篇不失規矩之作。

坊間雖有有許多指導作文的書籍可供參考，但「光說不練」是不行的，因此在學校作文停止後，考生每週最好仍作簡短的練習兩三篇，如讀報後的感想或生活片段的見聞都可作爲寫作的題材，不貴乎字數的多寡，但要寫出其特色，運用一些閱讀時所得的「清詞麗句」，應試時便不致「詞窮意竭」，無法按時完卷了。

●

說到最後，要把國文唸好，當然最重要是要有濃厚的興趣，所謂「衣帶漸寬終不悔，爲伊消得人憔悴」，讀書能癡，能著迷，才能讀到樂處，安而行之，因此還得提醒各位不妨主動去找些好文章唸唸。有疑問時，多向老師請益和同學討論，絕不掉以輕心和「囫圇吞棗」，因爲我們不只希望考試時能把國文唸好，更願大家多浸潤在書香墨翰中，體會出傳統文化精神的要旨，領略到中文的優美簡約，樂於負起民族薪傳的責任，不至於「向聲背實」、「數典忘祖」。更期盼龍的子孫，個個都是有人文素養的哲學家皇帝！願大家都能愛唸國文，考得好成績！

大家來編教科書

時間：七十五年三月二十六日
地點：中山女高三廉教室
出席：中山女高三廉全班五十五位同學
召集及記錄人：楊如英同學
主持人：蘇慧萍同學
指導老師及記錄整理人：梁桂珍

選讀更新更多元化的白話文

李雯婕：每冊國文課本前面都是屬於　國父或　蔣公遺訓之類的文章，這也許有必要，但許多是四、五十年的訓詞，現在局勢已不同，應該更換一些跟現代時勢契合的政府當局所發表的言論，那麼我們可以更了解政府的施政措施，另一方面也可以更了解時事。

莊淑菜：現在有些作家的作品較有文學價值，也是我們比較容易接受的，所以我認為應該選入他們精彩的作品。

葉素幸：像那篇「哲學家皇帝」便選得很好。

鄭惠芬：張群那篇「養慧」，是節錄自他《談修養》的書中，認爲個人修養要從五養著手，養心、養身、養量、養慧等等，應該一氣呵成，現在節錄一部分，便嫌說得不深入。所以我認爲白話文也不能「斷章取義」。同時也不是嚴肅就好，而是要讓我們讀起來有感受的。同時，如果某位偉人的文章並非眞的值得唸，也不必爲了作者的地位而選他的文章，我認爲他們的成就並不在於文章，在歷史上自有他們的地位，我們不選入教科書中並沒有不敬之意。

現行教材中最不喜歡的課文

劉慧珍：我們在國中已唸過有關荊軻刺秦的詩了，那篇已經寫得很有力，何必在高中再唸那冗長的「荊軻傳」！

歐玉芬：蘇轍「上韓太尉書」實在很不好，他給我的第一印象是很諂媚，作者生平不是說他文如其人、汪洋淡泊嗎？這篇文章給人的感覺卻不是這回事，應該刪去。

葉素幸：我不喜歡「與元微之書」，白居易只顧著說自己什麼近來一泰、二泰的，但試問與讀者何干？羅家倫的「聖雄證果記」只記錄喪禮的情形，沒有表達出甘地的偉大，而冗長的描述中也無法令人感受到作者心裡的悲傷，我倒寧可讀他《新人生觀》中的文章呢！

楊如英：宋濂可以說是有名的一代宗師，我們應多認識他在學術上的地位，但讀了「送東陽馬生序」，不會留下甚麼深刻的印象。王安石的「遊褒禪山記」我也不甚喜歡，因爲重點只在後面一部分的申論，但他想抒發感受卻沒有范仲淹在「岳陽樓記」中的高明。還有，課文中不該選入那麼多哀祭紀念的文字，像第一、二冊已經有了「祭妹文」、「祭十二郎文」，第四冊又選了「先母鄒孺人靈表」和「先妣事略」，實嫌重複。歸有光的文章非常樸實自然，可是這篇事略實在沒有什麼值得人效法的地方，教學效果並不顯著。此外，章回小說從中間截取一段，讀起來就沒有什麼意思，也體會不出原著的精華。比如「劉姥姥」那篇說好笑也不怎麼好笑，而《紅樓夢》這部書的成就很高，要表達的意念是多方面的，試問從那課中，我們眞能了解《紅樓夢》嗎？

最喜歡及最希望選讀的課文

劉國璽：我國文學代表之作是詩經、楚辭、漢賦、唐詩、宋詞、元曲，可是國文課本選的絕大多數是散文，韻文簡直不成比例。我很喜歡元曲的簡潔有力，可惜課文中只有一點點。

歐玉芬：歐陽修的「秋聲賦」人人讚好，既然白居易的「琵琶行」和蘇軾的「赤壁賦」都選入了，不如把歐陽修的「五代史記一行傳敍」刪去，選入「秋聲賦」，那麼三篇描寫聲音感人的成功之作便可以參讀、比較。

蘇慧萍：「大鐵椎傳」這篇文章我非常喜愛，因爲人物性格塑造成功，大鐵椎獨來獨往的作風很感動我。而「明湖居聽書」最精彩的部分是說書的那一段，其餘的只是劉鶚的遊記，似乎沒有必要選錄那麼多。

林滿郁：我倒不覺得讀「大鐵椎傳」像武俠小說精彩，但像「水經江水注」那課，如果用心讀，倒能想像出很漂亮的景色，這大概就是古人說的「神遊」、「臥遊」吧。

楊如英：我們在歷史上讀到司馬遷寫了「報任安書」，卻不知其詳，還有「項羽本紀」也很好，爲什麼不用這兩篇之一取代「荊軻傳」呢？歐陽修的「五代史記一行傳敘」寫得不是很精彩。而司馬遷在史記裡寫的序，像「刺客列傳序」都有精闢的見解，論述也非常有力，我覺得要讀論說文就該讀這些。還有我們在作者欄裡，讀到三蘇的文章受國策、莊子、陸贄、賈誼等等影響，既然如此，爲什不選讀這些文章？又像歷史上提到賈誼的「治安策」爲漢人奏議中第一長篇文字，我們也只是聞其名而未見其文啊！這又有什麼用呢？

理想中的課本要有組織安排，循序漸進

徐小婷：我認爲高一時剛從國中階段的「生吞活剝」、一味強記下解放出來，課文最好是詩詞一類或「明湖居聽書」等明清小品之作，比較容易接受，也可以學得一些描寫的技巧。

葉素幸：我還記得高一時背「教條示龍場諸生」的慘況，眞的很不習慣一下子去背長長的文言文，也許這課可以放到一下或二年級上學期才唸。至於二上的課文較簡單的，應放到高一的課本中才對。我

覺得一、二年級不妨多選些著名的章回小說，雖然只是節錄一段，但是由於一、二年級比較有空，如果讀了片段有興趣的話，可以嘗試去讀原文，這樣自然可以提高我們的國文程度。

歐玉芬：我認爲高一時就該選讀詩經、楚辭，也就是從文學的源頭唸起。至於古文的選擇，不必貪長，《古文觀止》中那些簡潔有力的文言文，値得選入。我認爲第五冊的文章都很好，只是到了三年級，聯考就在眼前，容不得仔細的唸，所以應該把這冊的課文分散在高一、高二時來唸，可以慢慢領略。作者生平的講述也可在那時補充加強。

楊如英：我也很喜歡詩經和楚辭，也希望課文的安排很有系統，但像高一就從詩經唸起，恐怕當時很難了解詩教溫柔敦厚之旨，還是要等到高三才能唸的。

王蓁蓁：現在唸的課本，似乎沒有循序漸進的原則。就拿第三冊來說，分量反不如第二冊，像第十五課：「讀者可以自負之處」應該改選更好的文章。總之，第三冊這麼薄薄一本，實在有開倒車之感。因爲高二是高中的黃金時期，也比較有自己的見解，讀起課文來也會有較深的感觸，所以第三、四冊的內容應該最豐富，而且課文的安排也要有次序。像提到「大鐵椎傳」的作者喜讀蘇洵文，那麼就該在大鐵椎傳課文的先後安排一篇蘇洵的文章，或者在選了蘇氏兄弟的文章後，也選一篇蘇洵的，這樣他們三個人的風格才容易比較出來，也可以加深我們的印象。

作者生平的介紹不能像履歷表

葉美吟：現在課文後的作者生平編得並不好，應當詳細一點介紹作者的人生觀，或奮鬥成功的感人經歷，不要老要我們強記他的詩文清新婉麗等籠統的形容詞。

楊如英：我也很討厭履歷表式的作者介紹，我們沒有必要去背那些官職頭銜等等。我認爲在篇幅和分量方面，作者、題解和課文的內容應各佔一半，要多介紹作者和全文旨意，因爲我們希望得到整體的概念，太簡單等於沒有用。尤其白話文的作者，如果不能像現在老師介紹得那麼詳細，根本不能眞正達到認識作者的目的。我的理想是把作者按照年代朝代先後排列下來，很有系統地介紹，或者把每冊課中同朝代作者的文章放在一起介紹，不要忽東忽西的，這樣我們才有比較完整的認識。

請聽聽我們的心聲

齊仲蟬：國文和歷史兩科應該配合，國文重要的作家和代表作，歷史課本中大多提到，爲什不能讀到呢？我也主張好的翻譯文章，可以編入課文中。總之，白話文要選些較現代的，而且我們要表揚一位作者，更應該選他最好的代表作，否則反而貶低他的身價，也使我們對他「行情看低」。

楊如英：中國文學中散文和詩歌是兩大支柱，可是課本中的詩歌往往只有一兩課，不成比例。其實詩詞給人的薰陶更多，也容易記得住，理應多選一些。另外，大家似乎很喜歡讀白話文，不過，我覺得還是該多唸文言文。白話文如果選現代的作家，不知道要選誰？而且，被選的就眞的能代表現代的中國文學嗎？我認爲要選還是選那些膾炙人口、流傳千古的名著，如王勃的「滕王閣序」等——「

落霞與孤鶩齊飛，秋水共長天一色」這樣的名句，可惜未能在課文中讀到。也許在高中後，我們所學不同，無法對國文更深入的研究，那不是「暴殄天物」，有負我們源遠流長的傳統文化嗎？因此高中國文一定要扮演好深入而普及的紮根工作才好。

吳意玲：國文課本畢竟也是考試出題的根據，如果編不妥當，會將考試導入歧途的。像作者生平或是強調什麼時候被貶官，實在沒有必要。我覺得以前國中唸的東西反而記得，高中國文儘要我們強記些瑣碎的事，文章的精神大意和優美的句子反而記不住了，聯考過後，一切還給老師好可惜啊！希望以後編譯館編訂教科書時，可以交由年輕一輩或者中學老師負責，而由老一輩的學者專家當顧問，因爲他們可以更了解學生的心理，可以編得更符合我們的需要。我也建義難易度要調節一下，比如國學概要太難了，其實可以用中國文化史來代替。有些較淺顯的課文，老師也不會仔細講，倒不如放在全書後面，以閱讀測驗的形式出現，相信更會教我們「另眼相看」而收到效果。

老師講評：很高興同學們踴躍發言，本來舉辦這次座談會，一方面是希望給同學們磨練一下表達的能力，另一方面是希望讓不同的意見有交流的機會，而刺激同學作更深入而周延的探索。教材的編訂，要兼顧國家的政策、課程標準、學生的程度以及各方面的意見，在層層束縛之下，眞是難盡如人意的。何況有些文章的好壞，本身就是見仁見智，不能一概而論。比如有些同學不喜歡白居易「與元稹書」說的什麼「三泰」，也有同學認爲這能表達二人的交情，讀起來也不太惹人厭。但平心而論，那信中所流露的那種仕宦的得失感，以及哀樂中年的心態，可能不是你們深感興趣的，而選文章的先生卻可能認同白居易的感受，因爲貶官之後，能自求三泰，亦正見白居易的修養，也可從信中見到二人的交情，但此信格局終嫌不大，所以我也贊成改換其他作品。

你們一致認爲歸有光的〈先妣事略〉太平淡了，所以不欣賞，可能你們還不曾考慮到古今寫這類型的母親最不討好。因爲作者年幼喪母，母親的形像原就模糊，加上他的母親除了生兒育女、操持家計外。的確也沒有什麼可記的。不過，傳統的婦女不大都如此嗎？要在平凡中見偉大，實在難爲。不過由於有汪中的「先母鄒孺人靈表」一篇，所以我也贊成改選歸有光的「項脊軒誌」來代換「先妣事略」，因爲更能見出歸有光平淡中的工整筆力，文中有些相當簡約而優美的形容文字，像「三五之夜，明月半牆，桂影斑駁」等等，値得爲缺乏描寫形容詞彙的中學生摹倣借鏡之用。至於「荊軻傳」大家都認爲太長，不愛唸，倒頗出我意料之外，不過由於這篇文字十之八、九抄自《戰國策》，的確看不出太史公的文筆，因此我也贊成改選「項羽本紀」來代替。

說到小說節錄不妥或詩詞選錄過少，我也有同感，但一本教科書總有篇幅上的限制，不可能選錄太多你們愛唸的韻文、小說，只希望借冰山的一角，引起你們探索研究的興趣。詩詞有時並不需要老師講解太多，自己多讀幾回，便有領略；能時常誦讀，自能涵養性情而別有會心。最後，我要強調的是，讀書決不止是讀課本，如果你在發現課本編排不夠理想時，肯和老師討論研究，肯自動自發找資料補充，相信你的收益一定更大的。

後記

筆者於六月七、八兩日，蒙母校師大邀請參加中等學校人文社會學科教育研討會的國語文教育組，其中第三場討論會爲國文課程設計與教法改進，出席者不論是引言先生，或曾主編教科書的教授學者以及高中國文教師，都感嘆好的教科書不易編成。但也不約而同的指出今日課文的作者生平介紹得不盡理想，或詳或簡，大抵皆雜陳資料而未能傳達出其人格精神。大家多主張多選進文字優美之作品以收薰陶之效，且贊同像古典文學名著，如《三國演義》、《紅樓夢》之類，最好作爲補充讀物，不宜節選，以免如藝術品之肢解，失其眞與美。可見三廉同學的話，也正是許多學者專家的心聲！出席者都贊成有一常設機構，作前瞻性、一貫性之研究，使教科書修訂得更理想。因此三廉同學的建議，今日雖已成爲明日黃花，但將來教科書的編訂，必然更集思廣益，更有中學教員參與而使學生的意見亦有管道溝通。更値得一提的是現在新教科書已出版四冊，作者介紹已作了若干改進，白話文更新選了許多不同題材的作品，也顧慮到選了蘇軾，也該選其父蘇洵之作，因此可說莘莘學子的心願和希望多少已落實了！

樂在書香寧靜堡與爾同銷萬古愁

——課外閱讀導引

讀書，在一般用功的同學心中，光是課本和琳瑯滿目的參考書，已經招架不住了；至於陷在對教育作風不滿的叛逆期的青少年來說，「儒門淡泊，收拾不住」，外騖的心，更難被書香吸引。所以讀書雖被一般曾經艱苦奮鬥的成長期的人來說，視爲難得的有福之事；但對有充裕零用錢和社會上太多誘惑享受的一代卻大不以爲然，除了不必費神的漫畫，和類似麻醉藥的武俠小說和短、小、輕、薄的愛情故事外，很少有人再談什麼「開卷有益」了。但人的需求除了物質生活之外，總有心靈的精神生活，逛街、飆車、看電視、進KTV、MTV之餘，不免仍有不足之感。但爲了掩飾自己的空虛不安，又不願被同儕視爲落伍的一個，眞正能作的消遣，（吸煙、吸毒不算），其實也往往是有限的。所以在「一切無所謂」的外表下，仍是焦躁徬徨的靈魂，難怪總有人喊吶：「其實你不懂我的心」！

認眞來說，人在成長的過程中要逐漸確立自己的人生觀，找到方向，除了接受正規教育的輔導外，自我摸索的孤寂是一定會經歷的。這時除了讀好書外，恐怕很難找到別的指引和良伴，所以不願在人前自承孤獨的一群，何不走出電影街，忠孝東路，走向學校、社區的圖書館，選本好書，靜坐瀏覽一回；或借回家裡，夜闌人靜時細細品味，相信一定可以沈澱塵囂的思緒，享受書中世界的美妙！

如果你嫌日常的生活只限於一方侷促的天地，教人有窒息感，那就讀遊記吧！一卷在手，神遊寰宇，有時比親自登臨，更爲陶醉！何況現在的遊記，都附有精美的彩色插圖，眞眞引人入勝。還記得一本黑白的「錦繡中華」，就曾成爲我進入師大圖書館後最急著擁抱的老友，每次總得看過它後，才能專心的看其他書籍。由於飽覽對神州大陸的風光介紹，使我始終不能忘懷秋海棠的美麗，更在心內認同「忍令上國衣冠淪於夷狄，相率中原豪傑還我河山」的使命感，也產生一股我是龍的傳人的自豪。有了宏觀的心胸，一份純眞的家國之愛，自然也有一份「亦儒亦俠」的期許，不會讓自己失落。從遊記中接受更多壯美的感動，自然醞釀出對世界和人群的關懷，不致再對生活諸多不滿，更不會成爲低俗的涼血動物！

如果你本來就是一個敏感的人，常爲人際關係不能美滿所苦，也有感情失落的無奈，那就讀小說吧！好的小說，其實就是「世事洞明皆學問，人情練達即文章」的印證！它的作者也是歷練世情後，作「古今多少事，都付笑談中」的寄託！同樣的在看金庸的武俠小說，你能像「諸子百家論金庸」中的各人，體會作者借虛構的人物情節所透露的微言大義嗎？例如《天龍八部》中的喬峰（蕭峰）由誓死抗胡的丐幫傳人，到認知自己原非漢族的矛盾，其中恩怨情仇的種種，不過在流露反對意識型態的僵硬化，漢胡何必一定要劃清界限的意見，希望可以使人醒悟中國人的內爭能在「歷盡劫波兄弟在，相逢一笑泯恩仇」中化解！誰說小說家言，難登大雅呢？武俠小說的俠義豪情，一洗我們平日生活的拘謹侷促之苦，給心靈一次痛快的馳騁縱放，多少可彌補我們的無力感，讀之確是快事！至於言情小說，更易觸動人性中脆弱而多情的一面。你在讀《紅樓夢》時，除了羨慕寶，黛之間的深情外，是否能體會書中隱含的哲理意味。王國維先生便曾指出《紅樓夢》悲劇的形成，源於性格者多，一切發展都在合情合理的範圍內，的確像史太君、王夫人以愛護子孫的心態為寶玉擇偶，自然會選擇大方世故的寶釵而非體弱孤傲的黛玉，而寶玉卻因不忍傷祖母厚愛而不敢力爭婚姻自由，雖顯露性格上懦怯的一面，但也足見人情之難違；而寶玉不願從俗之悲，又不免凸顯了個人價值觀與社會認同的矛盾。總之，小說中人物的言行作為，都可供讀者借鏡，了解人生的滄桑無奈而有更多的包容諒解，如果能知曉「可憎之人亦必有可憐之處」，也許對自己和別人都能不再苛刻了！

在現實環境不易突破，理想不易達成下，我要做一個怎樣的人？也常是同學深感惶恐的事，尤其有完美主義傾向的同學，在事與願違之後，往往趨趨於偏激甚或自暴自棄，所以在徬徨少年時，看看別人怎樣走過，傳記是最好的參考。現在介紹幾本曾感動我，也盼能感動你的書。李長之著的《司馬遷的人格與風格》、《道教詩人李白及其痛苦》、孟瑤的《龍虎傳》，江南書生的《劍俠李白》，都是在涵含文史考據的資料中，又能有血有肉，呈現人物生平思想志節的創作，可以讓我們看到大文學家與浪漫詩人的生命情調。至於翻譯本的《梵谷傳》、《約翰·克利斯朵夫》，也道盡藝術家的心路歷程和自我超越的可敬處。如果我們能多讀傳記，知人論世，往往可以上友古人，神交知己，獲得鼓舞和啓示。年輕的心，總會有「歧路亡羊」的困惑，懷才莫遇的悲憤，不妨先停下來，體認一下人生的缺陷是免不了的，但只要認識自己，坦然接受自己的不足，量才適性去走自己的路，不怨不悔，多少會有所成就。「學問深時意氣平」，想想古今多少讀書人有才無命，但歷史總給他一個位置！先讀書養慧，總會使我們在得失之間能明智的抉擇，使生命的洪流不作漫無方向的衝決，以免眞的「生無益於時，死無損於世」，連自己都瞧不起自己！

如果同學在思想方面眞的有許多困惑，懷疑生存的意義，急欲探索人生的眞諦，可以一讀唐君毅先生著的《人生之體驗》，全書雖然帶有哲學意味，但由於說得誠懇眞切，能深入淺出，直指生命問題的核心，所以不難接受。當年我讀了這部書，便決定投考新亞研究所，追隨唐師學哲學，相信有心的同學，也能從這本書得到指引和啓發。至於有意涉獵中國諸子百家的學說，又怕文字深奧難讀時，可以先看看張啓均，吳怡教授合著的《中國哲學史話》，若有興趣了解西方思想文化的特色，可以先讀方東美教授著的《科學．哲學與人生》，言語生動，才情縱橫的學者，會引渡你進入哲學的堂奧，慢慢體悟人生的究竟。

談到高中生該讀那些書？記得民國十一年八月，胡適之先生在北平演講「再論中學的國文教學」，曾開列一張，「中學國故叢書」書目：民國十二年四月，梁任公也曾替中國學人開列一張「最低限度之必讀書目」，雖然他認爲「若此未讀，眞不能說爲中國學人」，但如果眞把兩位學者所說的書目抄出，恐怕同學仍有浩瀚無涯之嘆，所以筆者認爲該讀那些書，倒不必太勉強以免因難生畏，能先讀自己所需要和感興趣的書，便能培養出讀書的習慣以後，能力也會提昇，也會自動去找更多的好書來讀。如果有了心得，自然也會再作學理的探討，說不定就此進入學術世界的桃花源，樂而忘返了！

如果同學有志進修，想找尋一些較有價值的參考書，可以閱讀下列幾本：中華文化出版事業社出版的《中國文學史論集》共四冊。此書約集當時有名的學者教授分篇撰寫，介紹歷代重要作家的生平及作品特色，內容以時代先後爲序，從孔子寫到吳梅，雖然不免有未能全面普及的「遺珠之憾」，但大體具備，頗得其要。由於此書每篇作者不同，自然在筆調風格上亦不統一，但讀時可順便比較各家的筆法以爲比較觀摩之用，亦有助於寫作。如果此書已找不到，同學可參看中華書局的《中國文學發達史》，可以較有系統的了解中國文學的源流演變。唐詩宋詞是多數人愛讀的，如果想先看較好的注解版本，我推薦：《唐詩集解》（正中書局印行），《宋詞三百首箋注》（中華書局出版）。另外，文史哲出版社印行的《古文鑑賞集成》，有助於深究了解古文。至於歷史書，張蔭麟著的《中國上古史綱》，是把歷史寫活了，可惜只寫到漢朝。目前市面流行的古籍史書重編導讀之作甚多，但水準參差不一，所以先求正確完備的了解，不能不愼選其書。

說到底，筆者最希望樂見的還是同學能直接閱讀一些古典名著的精華，大家千萬不要怕文言難讀而一味仰賴翻譯或簡略的解說，最好多花些時間去接觸原文，耐心去玩味貫通，自然很快就能提昇閱讀程度，收益無窮。所以我建議大家不妨先讀《世說新語》，雋永的對白和高度的智慧，使人得窺魏晉的流風餘韻，是緊張生活中一帖清涼劑，對缺少幽默感和自覺言語無趣的人，更有「醍醐灌頂」之功。《史記》雖然是一部大堆頭的鉅著，同學難窺全貌，但不妨選讀精彩的名篇，像〈項羽本紀〉、

〈刺客列傳〉、〈魏公子列傳〉等等，以欣賞文史大師描寫人物的傳神生動處。至於《水滸傳》、《三國演義》、《西遊記》等章回小說，不妨先瀏覽大概，再挑選自己感興趣的部分細細欣賞，若能享受金聖嘆評點「六大才子書」的妙語，更有深得我心之快！另外推薦兩部言簡意深，耐人尋味的語錄——《幽夢影》和《菜根談》，在心浮氣躁時，隨手翻翻，挑幾句相關的話咀嚼一下，自然別有會心處而萬緣放下，復得自在！

清人張潮（《幽夢影》作者）曾說：「凡事不宜刻，若讀書則不可不刻；凡事不宜貪，若買書則不可不貪」。多利用圖書館，可以免了買書之貪，但切勿忘了多讀好書，因爲「讀書是靈魂的壯遊」，確實會開展你的視野，充實你的貧乏，好書在手，眞夠使人發奮忘食，樂以忘憂的！

瞬間即是永恆

評文示例(一)

（中山女高高三敏） 楊沁漪

看過電影「睡人」裡，李納與寶拉間那段一如他幾無先兆的乍醒般短暫的情誼，才知道心靈的感動每每發於須臾，是人類情感與記憶的巧心雕琢，使一切終歸於永恆。或許就是這些只緣倉惶一顧的美麗，使得生命更加的溫柔蘊藉，更加的有味。

李納是一位罕見腦疾的患者，童稚的他在沈睡三十年後，因新藥物的刺激而甦醒了。這暫時的藥效及童騃的懵懂並未消滅他對愛的呼應和追求，在一次意外的邂逅以及每日幾句的閒談下，他愛上了寶拉並滿足於這看似淡然的友誼，直到藥力漸退，他又將陷入痙攣繼而昏睡，只有無奈的作別……。正當我們爲他片面的愛情低徊落淚之際，卻見寶拉默默的挽起他。在喧雜的飯堂裡，一個平素靦腆的女孩摟扶著抽搐的男子無聲起舞……。

向來，年輕心切的我們總是執意於完整的過程，苦苦追索一些永遠的承諾。然而人生大悲大喜的章節並非那麼驚心而明顯，對於「永遠」，我們該如何來細細辨認把握？其實我們何需歎惋，女孩片刻的深情與感動已勝過永生的伴隨，在你我心底佇留長久。也就是這許多不逝不滅的美麗，讓如今華髮盈顛的老者憶起當日春衫年少，仍鮮明如昨；讓我們在爲每日的柴米油鹽奔忙之餘，仍會記起自己的第一張獎狀、第一束花。當龐雜的過往漸不復記憶，那些片片斷斷的剎那時光，依然燦然生輝地躍出，向我們一再證明著昔日的存在。

縱使我們會糊塗地將歷史錯接，縱使窮於了解那些因緣與伏筆，我們也將永遠歌誦這凜凜照人的時刻：秋瑾「秋風秋雨愁煞人」的泣血；壯士易水相送的愴恨；武昌的第一響槍聲；長安大街上那白衣單薄的青年勇阻怒吼而來的裝甲車……。我們當然也深記著那許多振奮人心的瞬間：當嫘祖抽出第一縷絲；當劉鶚自中藥舖搶救出甲骨文；當田單於即墨衝殺出火牛陣；當凱撒吶喊著他征服了世界；當金恩博士對世人訴出一個夢……。

儘管我們是弄不清最後的結局，儘管有人成功有人失敗，這又有何要緊呢？我們有那些不容忘懷無可取代的片刻；人生的離合、機緣巧遇？生命的轉捩、歡愉的心絮。一路行來，這許多撼人的時刻奏成歷史壯美的凱歌，推向永恆！

評文示例(二)

（中山女高高三敏）　陳郁菁

當死亡親吻世間萬物，爲這世界定下生死更迭的定律，唯永恆能在死神之前誇口稱勝。當時光的箭矢無情地殂殺萬物，甚或帶走今日的光彩，唯永恆能倖免於難。永恆將它的雙臂無限延伸，支撐人們眞情的天，唯眞情的瞬間能轉化成永恆，如摩詰經中舞花的天女，落英繽紛，令人目眩神迷。於是，我們以眞情的瞬間企求永恆，用如夢人生企求幾次不朽的瞬間。

對於獻身於重現人類情感的作家而言，瞬間的靈感便能詮釋幾世空間的纏綿，編織出一片永恆的網；對一位義薄雲天，爲國捐軀的烈士而言，那一瞬間大忠大義的慷慨，便瀟灑地揮毫出永垂不朽的丹青；對一位不沾俗塵、潔身自愛的隱士而言，大自然裡每一瞬間的天籟，都在他的心湖奏出一曲曲永恆的樂章……。可見，永恆對不同的人有不同的意義，而永恆更是不在乎時間的長短，只求那一瞬間深情的流露，靈魂最眞實的吶喊！

在我的感覺裡，自己就像一隻紙灰的蝴蝶，在色彩斑斕的人世飛舞，用心地採擷每次眞情的花粉，來綴飾我原本灰白的蝶翼，爲了等待這一瞬，我便在蛹中、血中等待蛻變爲一隻蝴蝶，並且用每瞬堆積永恆的城堡，即使歲月的風暴如潮水般湧來，它仍能屹立不搖。那麼，它就成爲我曾在世爲過客的見證，見證了悲歡離合、見證了這如醒又如醉的一生。在這紛亂孤寂的大城市中，誰敢希求在它的臂膀中尋先這末世紀的傳奇呢？或許是刺鳥擁抱尖刺，那瞬間引爆的歌聲，又彷彿證明了——永恆，仍是可期待的吧！

平正奇險　各有千秋　評析：梁桂珍

同樣一個文題，同學寫來，各有千秋，這是創作予人欣喜感動之處。在「瞬間即是永恆」一句頗富哲理的話中，楊同學的作品先以電影中「睡人」的情節爲例，以「女孩片刻的深情感動勝過永生的伴隨」來詮釋一段不可能有結果的愛，印證了秦觀在〈鵲橋仙〉中所說的：「兩情若是久長時，又豈在朝朝暮暮？」「金風玉露一相逢，便勝卻人間無數。」這對愛情觀念迷惘的青少年，多少有所啓發。

第三段中再舉出些「不逝不滅的美麗」，詮釋永恆在每個人心中的定義，第四段中的例證，更融合了壯士的慷慨就義、文化的創造與傳承、復國的精神與征服的豪情，都是那些「不容忘懷，無可取代的片刻。」在短短的篇幅中已攝取了中外古今的史蹟，使人不得不讚嘆作者巧於彌縫，才情縱橫。結局「一路行來，這許多撼人的時刻奏成歷史壯美的凱歌，推向永恆！」也像一曲雄壯的交響樂，在激昂的旋律中結束，留給聽衆餘音縷縷，盈耳不絕的回味！這篇文章最大的特色是前人說的中幅的寬廣浩大有如豬肚，結如豹尾，挺拔有力。

陳同學的作品，可說是苦澀的青春對永恆的追尋與印證，文字別有一股張力與神秘感。起筆三句便點出永恆的重要，唯有它能征服死神，接下來點明「眞情的瞬間能轉化成永恆。」飛天落英繽紛的比喻，確是令人「目眩神迷」，第二段點出來永恆對不同的人——文學家、烈士、隱士的意義，文字講其精簡講究，也詮釋了人人可以追尋到永恆。

最後一段以蝴蝶自比，大有「莊生曉夢迷蝴蝶，望帝春心託杜鵑」的迷離縹緲。「用心地採擷每次眞情的花粉，來綴飾我原本灰白的蝶翼」，眞是「春蠶到死絲方盡」的執著。結束時，一面疑惑在紛亂孤寂的城市的臂膀中能否覓得傳奇？一面以刺鳥不惜一死的歌聲印證永恆，呈現一種「曲終人不見，江上數峰青」的淒美意境，似有若無，眞是「篇終接混茫」，「萬事都從缺陷好」！

兩篇文章都流露文句精鍊，靈氣十足之感，可見作者都是心思細膩、感受敏銳的人。不過，第二篇稍側重個人心歷路程的呈現！他的寫法傾向於窄而深，但不致流於單調瑣碎，更能流露探索追尋的眞誠，所以自有一股感人的力量，但取材及觀照面不如第一篇的廣，將瞬間即是永恆的道理，寫得淋漓備致、意興飛揚。就寫作訓練的過程言，先求寬廣，再走窄而深的路子比較穩健，因爲若深度不夠，文章便流於瑣碎乏力，予人閒話家常之感，所以還要多讀書，多增廣見聞，以求文章的言而有物，不致只以奇險勝。「平正奇險」是藝術文學創作的最高境界，但仍以平正爲基礎，是有志寫作的同學，不應忽略的！

怎樣給兒童講故事

聽故事是兒童最感興趣的事，也是他們該享的權利。尤其在今日要對抗「電視教育」的影響，作家長的不能不在說故事方面下點工夫。但是要滿足他們的新鮮感，又希望故事充滿教育性和啓發性，可眞令人「搜索枯腸」，常希望能求助於坊間的兒童刊物。無奈這類書籍實在太缺乏了，像「格林童話」一類的譯筆，是令人不忍卒睹的；而那些什麼偉人的故事、好榜樣之類，不是嫌取材與現實生活不太貼切，引不起兒童的興趣，便是文字枯燥，跡近說教。所以我只好就記憶所及，把故事分類、改編，按照昕兒的成長給他講解。筆者在自己試驗並將之報導之餘，更希望其他家長也來寫出寶貴的意見，大家來耕耘這片園地，讓我們的下一代眞能從聽故事中深受陶冶，養成達觀開朗的個性，積極進取的人生觀。

不少人認爲我們老一輩的人，沒有童年，因爲他們從小學做老成人、學讀聖賢書，他們聽的都是歷史故事、大人的故事，不像外國兒童聽的是童話故事，充滿幻想與驚奇，王子、公主的偶像，更令他們嚮往；甚至有認爲廿四孝一類的故事不能講了，因爲其中所述的多是愚孝的故事，怎忍兒童效法？關於這個問題，筆者認爲各類的故事不妨都給兒童講一些，反正他們的興趣是多方面的。我總認爲偏食固然不好，偏愛也不大對，在兒童不堅持己見之前，父母最好作些多方面的嘗試。至於題材內容的淨化，得看講故事者的態度，如果我們在舊故事中加入一些新觀念，那舊瓶新酒，說不定還能釀出一股更醇更美的芳洌呢！比如我在講王祥臥冰求鯉的故事時，特別給小孩解釋，因爲人體的溫度較冰雪高，當王祥跪在雪地中向老天爺默禱時，他的體溫融化了一些冰雪，露出小洞，而冰下還有魚在游泳，正好鯉魚偶見光亮一躍而出，便落在雪地上讓他拾到了。如此解釋，也可讓孩童明白氣、水、冰的關係，可謂一舉兩得。但願大家不致認爲穿鑿附會。孝到底是一種道德，非要培養加強不可，作父母有這點私心，總不爲過。

我以爲及早在兒童的觀念中教孝，跟教他們勇敢、正直、善良同樣重要。何況，現在眞能把廿四孝全部講出來的人已不多見，我們保留其中一部分還是應該的。

給兒童說故事，自然要注意配合他們的年齡和生活經驗，所以我認爲最好從小朋友的故事開始講。我給昕兒講故事，是從「司馬光擊缸救同伴」、「文彥博灌水取地洞中的球」、「孫叔敖殺兩頭蛇」、「曹沖以船載石量象重」這類故事開始。司馬光和文彥博的機智應變，相信可與兒童生活中的經驗印證；至於孫叔敖的仁心，更掩蓋了兩頭蛇眞實與否的問題；（據曾任孫敖故里江陵中學校長已故師大教授程旨雲書云，兩頭蛇頭尾大小相若，有黑紋一條，似口，有黑圈白點，似眼，頭尾俱能昂舉，行走似兩頭，係江陵縣特產）。載石量象，更使他領悟浮力、比重一類簡單的物理觀念，可讓他在學游泳時也充滿信心，能浮在水中了。

爲了教導好動外向的男生有耐心，不妨講龜兔賽跑、鐵杵磨成繡花針、王獻之練字欲與父比美，或者愛迪生發明電燈的故事。我們不必害怕故事太長，孩子會記不住，有時他們的領悟力和記憶力眞會讓你吃驚的，所以你儘管詳細、生動的描述，幼兒也在聽故事中學會用許多字彙的。到小孩唸幼稚園時，可以給他說「納爾遜冒風雪上學」、「孟母三遷教子就學」的故事，好讓他們喜愛上學，自然也可以講 國父的童年、岳飛的精忠、義大利少年的擲還侮辱他國家的人救助的錢，荷蘭小孩犧牲自己保存堤防的故事，讓他也懂得愛國家了。孩子越長大，偉人的奮鬥事蹟和歷史故事所佔的比例可增多，我總覺得與其讓孩子將來在歷史課上枯燥的強記資料，不如儘早讓歷史故事在他心裡生根，只有這樣，民族精神和民族文化才能延續。在歷史中選擇戲劇意味較濃的事跡講給孩童聽，如講武王伐紂，可提及姜太公、哪吒；講戰國故事，可以講廉頗、藺相如的將相和、張良的遇圯上老人、荊軻的刺秦王等等，順著次序講下去，一部民族歷史，便在孩子的心中形成了，我們作家長的，豈不也重溫了史書中許多感人肺腑的文章嗎？當然其它名著如三國演義、水滸傳，我們都可擷取片段給他們講解，孔明借箭、武松打虎，都是令他們讚嘆的，甚至鏡花緣中的海外奇遇，也是很好的題材。至於西遊記中頑皮而善良的孫悟空，更是百讀不厭，實在有必要把全書用活潑的筆調改寫一遍給兒童看。

當然，孩子的生活經驗豐富後，每逢節令，我們更不要忘記給他說有關的故事。這一點相信許多家長或會注意到；但當你在中秋節給孩子講嫦娥奔月時，你有否注意講到后羿爲什麼由一個射日的英雄，而成爲一個「時日曷喪，予及汝俱亡」的獨夫，就只因爲權力慾作祟而已，你可曾告誡過他們？至於月球的實際情形，在阿姆斯壯已登陸的今日，我們不能不告訴兒童，科學與神話總有距離，但我們還是可擁有二者的，正像端午節是詩人節，也是提倡全民運動的好機會。

至於講外國童話時，我的原則是與其講王子、公主的奇遇，不如讓他聽聽小人國、大人國的歷險。兒童眼中的世界，總跟大人有點異樣，但那大小之間的比例，卻是永遠牢不可破的，也讓他們早一點懂些相對論的道理吧。所以我講白雪公主、灰姑娘時，雖然也提到晚娘嘴臉，但把重點放在精誠感天的原則上，就如那青蛙王子遇到肯愛他嫁他的人，便可破除魔法了。在講愛麗絲夢遊仙境時，我特別強調友誼、信心、愛心可以克服一切的困難，幫助他們的不是翡翠城中的「聰明人」，而是他們自己。在講迭更斯的聖誕述異時，我更掃興的說出來一般孩童渴切盼望的聖誕老人，就是那也會打他、罵他們的爸媽。自然我也要把雨果悲慘世界中的囚犯和警長兩個人的角色輕重調動一下，到底在如今法治的社會中，守法精神的培養是不可少的。

以上不厭其煩的舉例，旨在拋磚引玉，希望更多有心人士，注意兒童文學這片荒漠的園地，大家一起來耕耘，以生動的筆觸、合理的解說，去編寫我們的兒童文學。既可取材自外國童話、現實生活，也可取材自我們豐富的文化遺產中；不但讓兒童可看，也讓父母可讀，大家永遠保有一顆赤子之心。

貳　課文深究舉隅

奇文共賞解「紅」謎

——從〈劉老老〉試窺《紅樓夢》

《紅樓夢》自問世以來，已經兩百多年，可以說從來沒有一部小說，能產生如此深遠的影響，引發學術界如此激烈的辯論探討。由於作者在寫作時很巧妙的將著作人隱去，因此產生了下列諸問題：一、作者到底是誰？二、小說的性質到底是否爲自傳？三、版本的問題。四、續書的問題。五、續作者的問題。這些種種問題的探討，形成學術界一股「紅學」風潮。

一部如此具有爭議性的鉅著，要在課堂上介紹給高中學生，自然有難窺全豹之憾，甚至有不知從何著手之嘆！但老師的責任是打開一扇窗，讓學生得窺「宗廟之美，百官之富」，縱使不能詳道《紅樓夢》的種種問題，也要爬梳整理後，略作重點提示，使學生留下較完整的概念和繼續探索研究的興趣，更要鼓勵學生從不同的角度去鑑賞這部偉大的小說。下文便先從《紅樓夢》的有關問題談起。

作者與作意的探究

根據胡適的《紅樓夢考證》，可知民國初年研究《紅樓夢》的人士的主張大致可分三派：第一派說《紅樓夢》爲清世祖與董鄂妃而作，兼及當時的諸名王奇女，這一派的代表是王夢阮的《紅樓夢索隱》。第二派說《紅樓夢》是清康熙朝的政治小說。這一派的代表是蔡元培的《石頭記索隱》，蔡氏主張「書中本事在弔明之亡，揭清之失，而尤以漢族名士仕清者寓痛惜之意。」第三派大致都主張《紅樓夢》書記的是納蘭成德（後改名性德）的事。他是康熙朝宰相明珠的兒子，著有《飲水詞》。《紅樓夢》書中的十二釵，黛玉是他的元配，其他就是納蘭成德所奉爲上客的名士。

胡適把上面三派指爲「牽強附會的《紅樓夢》謎學」，他指出「只須根據可靠的版本與可靠的材料」考定著者及其事蹟家世，著書的時代和不同版本的來歷便可。胡適便從《雪橋詩話》、《八旗文經》、《熙朝雅頌集》三部書考據出作者曹雪芹的家世，所以認爲《紅樓夢》是作者「將眞事隱去」的自敘。他發現《脂評八十回紅樓夢鈔本》，又斷定前八十回的作者是曹雪芹，後四十回是高鶚所僞造。論戰的結果，胡適的學說於是廣受「紅學」的海內外人士所肯定，雖偶有不同質疑，亦難動搖其權威。也許學生還是懷疑何以作者最先不表明姓名身分，探究其中原委，綜合各家學者意見，我們可以了解到那是由於：

一、囿於傳統風氣所致：傳統的讀書人，以「立德、立功、立言」爲一生嚮往的目標，甚至辭賦詩詞也視爲「雕蟲小技，壯夫不爲」，所以傳統的小說家多以「先生不知何許人也，亦不詳其姓字」的形式出現。至於不符合衛道忠君思想的作品，更被視爲離經叛道之作。《紅樓夢》書中既然有大膽的色慾的描寫、「古怪的」思想議論、更深刻的描寫大家庭的黑暗面，多少可預知必然引發衛道之士的抨擊指責，作者有所顧慮而不願明言，亦見「齊東野語」、「稗官野史」難登大雅之堂的觀念的久在人心。

二本身情恨交織的矛盾情緒：由於曹雪芹的際遇既是由繁華到淒涼，對自己出身的社會和家庭，有留戀也有怨恨，對自己熟悉的人物有愛也有憎，所以寫作時有所顧忌而不肯明白承認自己是作者。但人之常情，既做了絕世文章，也不甘心完全埋沒，所以先編造四個筆名——空空道人、情僧、孔梅溪、吳玉峰，及四個離奇的書名——《石頭記》《情僧錄》、《風月寶鑑》、《金陵十二釵》以混淆視聽。但在小說由神話世界移向人間世界的接縫處，把自己的名字和選用的書名，巧妙的排列進去，說：「曹雪芹於悼紅軒中披閱十載……至吳玉峰題曰：《紅樓夢》」，使有心人士有跡可循而知作者及著意，解開「紅學」上的最大謎題。

洋洋大觀賞奇書

王國維的《紅樓夢評論》可以指引讀者體會這部鉅著的內涵和價值。王氏以爲「美術之務，在描寫人生之苦痛與其解脫之道」，使人「離此生活之欲之爭鬥，而得其暫時之平和」，而「《紅樓夢》一書」，實示此生活苦痛，「由於自造，又示其解脫之道，不可不由自己求之者也。」而解脫之道，「存於出世」，「拒絕一切生活之欲者也。」讀者在觀書中人物之苦痛時，得悟宇宙人生之眞相亦得一解脫之道，讀《紅樓夢》可參透人生的禪機。他指出《紅樓夢》與傳統戲曲小說的重視大團圓之精神相反，為一徹頭徹尾的悲劇。

王氏又指出寶玉固世俗所謂「絕父子、棄人倫、不忠不孝」的罪人，但就宗教觀點言，如承認世界人生之存在，實由吾人類祖先一時之誤謬；則寶玉之出家，乃知彼父祖之誤謬而不忍反復之以生其罪，顧不得謂之不孝。但《紅樓夢》這種安排，總是對傳統倫理道德的一種挑戰。筆者以為如果能由賈家的興廢史，體會其時的社會禁忌和大家庭人際關係的複雜，由此看出環境與性格衝突造成的痛苦，有真性情的知識分子「富貴不知樂業，貧窮難奈淒涼」的不合時宜，更見出《紅樓夢》的劃時代意義。

多數讀者認定《紅樓夢》是一部描寫愛情的小說，就從這觀點來看，也可以看出作者的善於體會人性。運用高明的技巧去創造人物。而書中男主角寶玉的放蕩、聰明、熱情、討厭功名和虛偽，富於藝術趣味的性格和善體人意的泛愛，與傳統的大男人主義迥然不同，他代表一些有性情的知識分子，也反映天地棄才，四不著邊的典型。他那「弱水三千，只取一瓢」的愛情執著，更異於傳統的視妻子如衣服的觀念，難怪贏得女性讀者的傾慕。

至於多愁善感不懂逢迎的林黛玉，表面冰冷小氣而心中癡愛單純，正是舊時代多少深閨少女的化身，不能爭取自己的幸福，只能在憂鬱、嘆息和病魔磨折中，含恨而終。但與其強調二人的愛情悲劇是封建家庭的迫害，不如站在人性的立場來看人性的矛盾和衝突。如寶、黛的富於理想，必和王熙鳳、薛寶釵的重視現實有衝突。賈母和王夫人愛寶玉而拆散黛玉的姻緣，二人的動機是善意的，而結局是造成寶玉的最大痛苦。愛情的幻滅是親情造成的，這種悲劇的架構在傳統社會中是常有的例子，如〈孔雀東南飛〉詩中的焦仲卿夫妻、〈釵頭鳳〉中的陸游夫婦，但都不如《紅樓夢》的刻劃深刻，細膩動人。

總之，作者由家世遭遇的痛苦，體會到理想與現實的衝突矛盾，隱有欲求解脫的領悟，而為了具體的表現，遂創造了書中絕世才情的男女主角；但全書人物卻沒有完美的個性和正面肯定的價值，這符合人性，也最耐人尋味。由於作者閱歷豐富，才華橫溢，書中不但寫人物貼切自然，對醫理、作畫、詩詞、居室佈置、飲食品茗的描繪，也流露深刻的修養，也可以說重現清代精緻文化和生活的精華，如此豐富的內涵，確使人好書不厭百回讀！

〈劉老老〉的寫作技巧

曾有學生懷疑課文為何選錄〈劉老老〉這段文字，這與欣賞《紅樓夢》似乎搭不著邊。的確，劉老老遊大觀園，似乎是可有可無的插曲，但深入探索後，便知《紅樓夢》全書描寫劉老老三次進榮國府，是作者具有深意的藝術構想。如果說全書以寶、黛的愛情悲劇和賈府的興衰作為結構的經線，那劉老老之進榮國府，就像梭子一樣，織進了幾根緯線，它和《紅樓夢》其中的次要情節，如元春回家省親、賈政與清客品題大觀園的描寫，同樣豐富了小說的內涵，同樣起了從個別不同的角度，去客觀地反映賈府的陳設、人物、家風和其間的興衰變化的作用。

劉老老三進榮國府，是要借這局外人反映賈家的興起、極盛以至中落三個階段，自有作用在內。

課文所選部分，是劉老老二進榮國府的節錄，正是賈府的極盛時期。全文借劉老老的遊園，使賈府的生活能自然而然的呈現在讀者面前，不覺突兀。至於文中創作的技巧，更待讀者一一品味。試分析如下：

第一、典型塑造成功，人物刻劃細膩具體：文中借鳳姐捉弄劉老老的事，顯出她的驕縱刁蠻，好賣弄小聰明的特性。借賈府的孫媳婦李紈、鳳姐和下人侍候賈母的簪花、早膳、遊園等事，突顯賈母的地位崇高。更借劉老老的應對，鮮明的塑造一個飽經世故的農村老婦的典型，如見其人，使讀者了解劉老老具有人情練達，忍讓吃虧，詼諧豁達，節儉不忘本的特性，異於賈府中人。賈府表面看來氣派十足，家規嚴格，但實際爲爭權得寵，都在各逞心機，暗中較勁。平日陰森沉悶的氣氛，由於劉老老的快人快語，而得以突破，難怪會意外的成爲備受賈府上下所喜愛的「女清客」。以劉老老的純樸，一面對照賈府中人的裝模作樣，一面也反襯出賈家浪費成習，家族的由盛而衰，其來有自。

第二、語調傳神，身分立場保持一貫：《紅樓夢》最成功的地方，就是在語言的運用上極爲活潑和妥帖，最能發揮北京話的特長，超越了《水滸傳》、《西遊記》等書的成就。比如劉老老的身分，不可能咬文嚼字，所以調侃自己的話是「今兒索性做個老風流」、「才說嘴就打了嘴」、「老劉、老劉，食量大如牛。」可惜鴿蛋被賈府下人撿去丟掉便說：「一兩銀子，也沒聽見個響聲兒就沒有了。」這種傳神的摹畫，若非作者有豐富的生活經驗和深刻的觀察，是不能掌握得如此恰如其份的。

劉老老有心和賈府攀親沾故時，心裡便知道盡量不要去惹人嫌，所以對鳳姐的捉弄，不會惱羞成怒；甚至爲感激賈母的惜老憐貧，不惜順著鴛鴦、鳳姐之計，索性成爲衆人的笑柄而不以爲忤。對賈府的一切，始終贊不絕口，便見一貫能保持鄉下人少見多怪的習性，不致予人忽東忽西之感。

第三、擅於運用對比襯托的方式加強形容：文中對賈府的陳設和生活，刻意的描繪處並不多，比如鋪敘賈府的富有，沁芳亭景觀的美好，不從正面著筆，只借劉老老看過「綴錦閣」的收藏後唸聲佛，說大觀園的美景，強過年畫中的十倍，便使主題鮮明呈現。又借劉老老提及賈母房中的梯子是爲了好爬上去打開頂櫃取東西，以凸顯房子的高大寬敞，更以櫃子比普通人家的房子還要大來作對比，勝過千言萬語的形容。至於襯托賈府的揮霍，由用膳中的鴿蛋，每個值一兩銀子卻因掉地上便丟掉的小事映襯出來，便是強而有力的說明。

讀者如將劉老老進大觀園的情景和「林黛玉初入榮國府」那回作一對照，更覺得作者安排佈局的心思縝密。二人多少懷著惶恐的心情，進入這大戶人家，但由於身分不同，背景不同，所得的感受也自不同。黛玉以孤女的身分投親榮國府，心中記得的是亡母平日教誨的外婆家與別人家不同，所以打定要「步步留心，時時在意，不要多說一句話，不可多行一步路」，十分拘謹在意，一切只敢用眼看，用心想而不敢開口問。

而劉老老卻是心直口快，說話風趣，她看到好東西便說：「我越看越捨不得離了這裡！」有東西吃，便說：「那怕毒死了，也要吃盡了。」她對賈府的艷羨，充分反映了一般人的心態，毫無「侯門深似海」的顧忌。至於她以大開眼界的觀感去贊嘆大觀園的景致，陳設和黛玉細膩感覺中所見賈府的豪奢和家規的森嚴自是不同。但也由這一雅一俗的眼中、口中帶領讀者得窺大觀園的眞貌。二段文字同是描寫其中的人物、陳設，卻不覺雷同，更凸顯了榮國府的排場架勢，眞是高明之至！

長者的叮嚀　天才的奮鬥

——〈送東陽馬生序〉

社會上名人發跡成功的事例，總是大家津津樂道的，但大多只是艷羡或嫉妒別人的功成名就，卻很少有人願意效法其艱苦的奮鬥，所以世上的成功者，總不算太多，而他們的精神作爲，總有可以值得取法之處。現在且以〈送東陽馬生序〉的作者宋濂爲例，談苦讀有成的過程。

終生未嘗去書卷的「神童」

傳記上曾說宋濂自幼英敏善記，有「神童」之譽，比如他能從當世有名學者從學，便是先通過鄉先生的考驗。當時鄉中老師抽架上雜書，要宋濂記五百言，他以指按行，按畢便背誦如流，令鄉先生驚爲天才而攜之就學於聞人夢吉，繼而得有機會遊於吳萊、柳貫、黃溍等門下而成爲明代開國大儒。但宋濂的成就，與其說是天授不如說是人力，他家貧而樂道，好學而謙恭，專注而志堅的精神，才是他成功的要素。

在講授〈送東陽馬生序〉時，老師不妨特別強調文中提及的求學過程。比如宋濂爲了家貧向人借書抄錄，那怕「天大寒，硯冰堅，手指不可屈伸」仍是「弗之怠」。爲了追隨名師，他不辭辛勞，「負篋、曳屣、行深山巨谷中」，備嘗「窮冬烈風，大雪數尺」致足膚皸裂之苦，甚至險被凍僵，要家人「持湯沃灌，以衾擁覆」才算活過來。但除了忍受風霜雨雪的考驗外，還得忍氣吞聲，才有受教的機會。由於名師德隆望尊，對學生很少和顏悅色，宋濂平日不但恭敬的俯身傾耳以請教，至遇老師叱咄時，更是「色愈恭，禮愈至，不敢出一言以復」。在求學過程中，更要克服心理的自卑感，因爲他的同學中，不乏「被綺繡」、「腰白玉之環」、「燁然若神人」的，而宋濂卻是「縕袍敝衣」，「無鮮肥滋味之享」，但對富有者，卻「略無慕艷」，可見他有如顏淵的好學，至樂以忘憂，不知「口體之奉不若人也。」

今日一般學生，雖不一定有政府的「廩稍之供」，但父母的供養，較古代更爲優渥，也是「坐大廈之下而誦詩書」，不必像宋濂的奔波跋涉，而書籍的取得容易，更不必向人借閱鈔錄，讀書的條件，確實已遠勝從前，但不少人卻將師長、父母的期望視爲壓力而有意逃避，或者貪圖玩樂而無心向學，以致終日埋怨學制的不合理而平白葬送求學的機會，雖說在多元的社會中，不一定要升學至上，但青年時代便不能刻苦奮鬥，那將來成功的希望總是很渺茫，所以學習前賢艱苦卓絕的精神，是讀書以勵志的收穫。

現身說法苦口婆心的深意

〈送東陽馬生序〉之作，是宋濂鑑於當時的太學生往往不能專心求學，至業不精、德不成，空負良好的求學環境，所以借贈序鄉後學馬君則的機會，強調讀書是否有成就，不在乎環境如何而在乎學習的熱誠及專注。本文表面是爲贈言馬氏而作，但往深處探究，便知是爲循循善誘天下讀書人而作。全文最後本有數句道及寫此文的旨趣，惜課文刪節未錄，今特補充如下：

「謂余勉鄉人以學者，余之志也；詆我誇際遇之盛而驕鄉人者，豈知余者哉！」

由此可見宋濂作者之寫此文，亦有韓愈寫〈師說〉的苦心，爲端正風氣，敦勵後學，有不得不言者！宋濂一生謙恭持重，樂道人善而不及人短，明太祖朱元璋雖屢以某人如何如何相詢，宋濂常以「善者與臣友，臣知之；其不善者不能知也」回答，所以朱元璋曾當廷讚譽他說：「朕聞太上爲聖，其次爲賢，其次爲君子。宋景濂事朕十九年，未嘗有一言之僞，譎一人之短，始終無二，非止君子，抑可謂賢矣。」可見宋濂寫此文，一改平日愼言的作風，不計是否得罪人，正流露君子愛人以德，贈人以言的精神。但他雖有勉勵後學的苦心，卻不願板著面孔說教，所以在行文技巧上亦特別講究，全文用夾敘夾議的方式說出意見，而夾敘夾議手法的運用，又是通過現身說法的途徑，包含著自己親身的經歷和感受，因而顯得情意懇切，語重心長，使人感到親切而不刺耳，較之韓愈〈師說〉的直斥時人之病，更多一分曲折委婉，值得細味。

字斟句酌似散而謹的技巧

一般贈序，既有以言勉人之意，原本就有論說的意味，所以論點應該明顯特出，例如蘇軾之〈稼說送張琥〉便是以稼田之理爲例，引申出「博觀約取，厚積薄發」爲學之理以勉友，但〈送東陽馬生序〉卻從敘述本身求學過程著手，論點未先標明，看似離題，但細究全文佈局脈絡，便覺環環相扣，句聯意密，這是「工夫深處卻平夷」的技巧。

全文從年輕時，讀書、從師的經歷寫起，最後才過渡到贈序立言之旨，作者在取材時，曾有一番剪裁的工夫。比如敘述經歷，所選的是跟爲學有關的事情，並非漫無節制，而在敘述中便隱約可見議論的企圖，由敘入議，不覺突兀。文中先寫自己，再寫太學生，後寫馬君則，如抽絲剝繭，有條不紊。寫自己的艱苦經歷是正面的教導，寫富家子弟求學的情形則提供反面的教訓，如前後均置明鏡，使人明察無遺，但感嘆太學生不長進之餘，又深喜馬君則善於學，可見上敘事例，無非鼓勵馬生之意，因而題旨自是水落石出，清明呈現。全文筆法委婉曲折而呼應照顧，看似散漫而實謹嚴。

本文既爲夫子自道語，又有勉人爲學之意，故宋濂行文時刻意避免渲染誇張的筆調，以免予人訓誡之感，但在字裡行間仍見用詞講究，輕重分量拿捏得宜，比如課文中第二段「蓋余之勤且艱若此。」後，原有一小段：

「今雖耄老，未有所成，猶幸預君子之列，而承天子之寵光，綴公卿之後，日侍坐備顧問，四海亦謬稱其氏名，況才之過於余者乎？」此處所言正是易引人誤解爲「誇際遇之盛而驕鄉人者」處；但宋濂要強調的只是刻苦力學的結果——學問道德皆爲人所重，亦得功名富貴——以之勉人，所以在行文上多用謙詞，如「未有所成」、「幸預」、「綴」爲官、得四海「謬稱」等等，不敢炫耀，謙抑藹厚之風亦自見。且敘述往事，用心不在嗟嘆境遇之困，而在以之爲例，表達艱難困苦，可玉成人之意，如孟子所謂「人之有德、慧、術、智者，恆存乎疢疾」之謂，旨在勉馬生及後學絕不可因求學有困難便氣餒，尤其道及對富家子弟之享受「略無慕艷意」，「略」字一句道盡，更隱寓有「士志於道而恥惡衣惡食者，未足與議也」之理，發人深省。至痛責太學生之德業不佳，指出「非天質之卑，則心不若余之專耳」，「非」、「則」二字對比顯明，「耳」字有感慨意味。「豈他人之過哉」，更道盡士子不自愛之過，可謂「一字之貶，嚴於斧鉞」；以「哉」字作結，反詰中疑而有定，力道十足，誠足爲「業有不精，德有不成者」之誡，此責備之語，尤見愛深責切之情，所以全文用詞雖淡，但情感濃含意深，自見長者叮嚀懇切的苦心！

「一代正宗」的才力

《明史·文苑傳序》：「明初文學之士，承元季虞、柳、黃、吳之後，師友講貫，學有本原。宋濂、王禕、方孝孺以文雄；高、楊、張、徐、劉基、袁凱以詩著。」可見宋濂、方孝孺師徒是明初古文大師。雖有批評他「才高辭富，不忍修剪，故爲文不免繁蕪之累。」但細讀宋濂的〈秦士錄〉、〈王冕傳〉、〈杜環小傳〉等等，都能以簡潔手法，通過人物自己的語言行動來呈現人物的性格，可見他的描寫形容，非常鮮明具體，具有極強的感染力，何況他的文章正如《四庫提要》所言：「雍容典雅，如天閑良驥，魚魚雅雅，自中節度。」確具思想氣度，被尊為「臺閣體」先導，也非浪得虛名，終較後來三楊（楊士奇、楊榮和楊溥）之作多為歌功頌德的應酬文字，有所不同。對他的褒貶，不夠客觀處，亦不過如「蚍蜉撼大樹」，無損他宗師的地位，在朝代遞變中，他的兼容並蓄，博學多聞，亦能傳遞文化學統於不墜。我國正史中的《元史》，由宋濂擔任修書總裁，但風評似嫌不佳，故民國以後，有《新元史》（柯劭忞撰），以訂補其失，但《元史》之繁冗蕪雜，作法乖迕，亦不能歸咎於宋濂之才力不足，主因當為明太祖過於嚴苛催迫所致。考證其成書經過，便知宋濂為難處。明太祖洪武二年，詔修《元史》，集中史官從事，以宋濂、王褘總其成。於是年二月間開局于天寧寺，八月成書，而順帝一朝史猶未備，乃命儒士歐陽佑等往北京搜求遺事。明年二月詔重開史局，至七月書成，前後費時不過十四個月，古今修史之速，除《宋書》外，未有如《元史》者。由於成書匆促，缺略重複，蕪雜舛漏，在所不免，更失於取材不廣，範圍太隘，未能掌握元代特殊問題著墨，尤其不志藝文而將之收入列傳之中，遂使無傳之人，所著多不可考，更為不妥，但正如趙翼於《廿二史劄記》中所言，若非有熟於掌故，「尚多老筆」「而無釀詞」者為之，則更不堪，以宋濂功力方可使「一部全史，數月成書，亦尚首尾完具」，真的「不得概以疏略議之也」！

宋濂在朝時，原本甚得朱元璋禮重，為太子師傅，甚至辭官後，仍奉旨每年入京朝覲，以慰思慕之情，但當洪武十三年，宰相胡惟庸陰謀造反，事為太祖所悉，宋濂的長孫宋慎，被視為胡黨而全家被殺，宋濂也連坐入罪，若非皇后和太子全力解救，宋濂亦難免一死，但仍得徙置茂州（四川茂縣）。可憐老人在子孫被殺、身老體弱的情況，怎堪千里跋涉，所以在洪武十四年，便病死在夔府路上。

以宋濂的博學多才、老成持重而又一生敬慎，沒有政治野心，竟也受朱元璋怨懟所及，落得客死他鄉，可見朱元璋之刻薄寡恩，則宋濂於《元史》編著時之備感壓力，亦見端倪，治史者當加體察！

體認「專精力學、樂以忘憂」的學者風範

——〈與孫季逑書〉

本學期的高三國文課本，作了相當大幅度的調整，以〈師與友〉、〈與孫季逑書〉、〈范進中舉〉、〈杜威博士生日演說詞〉，取代原有的舊課文。由於兩篇白話文和〈范進中舉〉的文字較淺顯，所以較引起大家重視的是洪亮吉的〈與孫季逑書〉。這封朋友間的私人信函，實際上是一篇談論治學志趣的文章，寫於洪亮吉三十四歲時（乾隆四十五年）。由於當時尚未考取進士，加上又要供養叔父及弟弟，洪亮吉在北京的生活並不寬裕，幸賴座師董誥的引薦，得助《四庫全書》的總校官孫溶校書而勉強糊口，但洪氏仍一心向學，不為稻粱謀。他與同是陽湖人的孫星衍（季逑）交情深厚，二人不得晤面，時以書信往返論學談心，由於二人同是著名的乾嘉學者和駢文大師，所以下文先從乾嘉學風談起：

一、言而有據，信而有徵的乾嘉學風

綜合梁啓超的《清代學術概論》和《中國近三百年學術史》兩書的內容，可以了解乾嘉學風的形成是由於下列兩因素，一是政治方面的影響、一是學者心態的轉變。

滿清以異族入主中原，使明末清初的志節之士恥立乎朝廷，因而隱居不仕以治學，但由於不滿陸（象山）、王（陽明）心學末流的空疏，返於現實，研讀經史。其時舊學派權威既墜、新學派系統未成，反促成自由研究的精神特盛，加以西學輸入，使天文曆算等學得以擴充，而讀古書不免先得求諸訓詁名物、了解典章制度等等，於是學風日趨於考證。乾、嘉以後，文網漸密，明末清初四大師（顧炎武、黃宗羲、王夫之、顏元）的好研究古今史蹟成敗、地理阨塞以及其他經世之務的學風，由於學者怕觸時諱而轉趨樸學。加以考證學經顧炎武、閻若璩、胡渭、惠棟、戴震等諸大師的努力，已闢出新途徑，學者更發現中國古籍又實有研究的價值，故將聰明才智用於研究經史，而形成清代全盛時期的乾嘉學風的特色。

簡而言之，清學可視爲明學的反動，以經學爲中堅，旁及小學、史學、天算、地理、音韻、律呂、金石、校勘以及目錄學等等。由於乾嘉學者能專治一業，爲「窄而深」的研究，又講求證據，不肯剿用舊說，又喜作比較研究，故對傳統典籍，皆能作有組織的研究，所以自有其貢獻：比如經校勘後，難讀的古書亦可供人閱讀；辯證僞書，可以使人知所別擇；能恢復久墜之絕學或提倡前人向不注意之學，使能成一專門學科，而擴大學問的內容。

可惜我國數千年的學術風氣，集中於社會人文方面，其他學術，多不留意，所以乾、嘉學者的研究法雖近於科學，仍專用於考據訓詁而不能創出新局，所以乾、嘉學派的最大缺點，是在於只喜研究僵定的學問，不喜研究活潑的學問，故所用的方法雖極精密，所費工夫雖極辛勞，但其研究對象，往往不能與其價值相當，甚至被視為故紙堆中的蠹蟲，眞令人有枉拋心力之嘆！

二、駢文何以再盛於清代

一般而言，學術研究的文字，側重說理，不免質木無文，但清代卻有駢文中興的傾向（比如〈與孫季逑書〉則多駢儷之句），不免使人好奇。推究駢文所以在清代復盛之因，可謂漢學家推波助瀾之功。由於他們反對宋、明理學，連帶也反對唐、宋古文，他們所提倡的是盛唐以前的文章，所以重視駢偶之作。風氣所及，不僅漢學家以作駢文為矜貴，其他文士亦多為駢文，比如袁枚、汪中等大家熟知的作者，都擅長駢文。曾燠便曾說：「古文喪眞，反遜駢體；駢體脫俗，即是古文。」可見他們的重視駢文。洪亮吉更是極端重視駢文的學者，論學的文章也用駢文寫成，由於他們的駢文已不單只注意詞藻格律，而重視文章的內容與思想情感，所以能成為駢文大家。

當時洪氏的駢文，每一篇出，爭相為人傳誦，由於他行文理贍而辭堅，多有奇絕之筆，以輕快清新取勝，有「常州體」之稱。洪氏的駢文，在清代有很高的地位。謝無量曾說：「邵（齊燾）文清簡、洪（亮吉）文疏縱、汪（中）文猖潔。然或又以汪、洪並稱，汪不逮洪之奇、洪不逮汪之秀，綜清代駢體，或無出汪、洪之右者也。」蔣伯潛也說：「清代駢文出了汪中與洪亮吉兩人，猶如六朝的駢文出了徐、庾，他們才力的勁遒，足以雄視一代，成為清季駢文的殿軍。」因此可說，洪氏的駢文可與袁枚，汪中並稱大家，成就頗高。

三、洪亮吉、孫星衍的「以文會友、以友輔仁」

清儒治學謹嚴，對於著述，更務求言而有徵，故絕不輕率著書。平日讀書，每有心得，每以劄記方式保存資料，以備將來著述之用。而清儒既不喜效明人聚徒講學，又無太多學校、學會爲講學之所，故喜以信札與友論學商榷。凡著一書，必經摯友數輩，嚴勘得失，方成定稿，故清代學者論學之書信，皆精心結撰，其實即著述，値得重視。

洪亮吉一生好學不倦，時以荀子語「爲人戒有暇日」自勉，治學更多所用力，故於經史、地理、小學各方面均有著述，甚至被流伊犂時，也寫成《伊犂日記》、《天山客話》等書，成爲談新疆事務專書之發端，也有功於邊徼地理的研究。總之，治學是洪亮吉一生的精神的寄託和生活內容。他的摯友孫星衍也是博極群書，好聚經籍，遇有善本，必求借鈔，他被袁枚譽爲「天下奇才」，也備受學者主考官的重視，才學不遜於汪中。洪、孫二人的交往可視爲曾子所謂的「君子以文會友、以友輔仁」的典型。我們從《與孫季逑書》中，便可略知一、二。

一般書信的開頭，多爲客套的問候話、寒暄語，但洪亮吉卻用一句「日來用力何所似」的問題，代對一般的寒暄，可見二人平日最關注的同是學問之事，故不必再說客套話。這信也是洪亮吉用來表明自己專心向學之誠，以與好友互勉互勵，不過信中，抒情說理，談古述今，論人品物，無所不包，內容絕不限於一般談心寫懷的書信，所以是論學書信中的佳構。

孫、洪二人不但治學嚴謹，人品操守亦正直不苟，比如孫星衍爲官，不怕得罪權高勢大的和珅，至於洪亮吉，雖不能直接上書言事，仍託成親王及大學士朱珪轉奏，彈劾已過世的福康安和和珅的擾民耗費、擅權納黨，甚至批評群小熒惑，主上視朝稍晏而觸怒嘉慶，遣戍伊犂。可見他們確能言行相符，不從俗悅世，亦是乾、嘉學者中敢過問時事，不自限於故紙堆中，確是其中的佼佼者。

四、皓首窮經，專精力學的風範

梁任公於《清代學術概論》中又曾指出，細讀乾嘉諸大師之傳記及著述，見其治學「銖積寸累、先難後獲」之精神，亦無形中受其感召而奮興向學。若用其研究法以治學，更能使人精細深研，忠實不欺，獨立不雷同，也使吾人虛心不敢執一爲是。至若乾嘉學者的論辯純是就事論事，能尊重他人的意見，但所見不合，遇有疑惑，弟子亦不苟從於師，更有尊重學問，熱愛眞理的風範。這番話亦大抵可在〈與孫季逑書〉中得以印證。因此文雖爲朋友間書信，但作者表露廢寢忘食以治學之誠，可以反映乾、嘉學者勤奮刻苦的治學的精神和不求榮顯、不貪安逸的品行風節。

洪氏在北京的校書生活，是「雞膠膠則隨暗影以披衣，燭就跋則攜素冊以到枕」的夜以繼日的爭取時間苦讀，原文並接有「衣上落虱，多而不嫌，凝塵浮冠，日以積寸」四句，課文加以刪去，想是怕因這些形容讀書至不重健康、不重衛生，不足爲訓之故。但此說雖有誇張成份，卻能充分表達洪氏爲了潛心向學，不顧飲食起居的冥冥惛惛，專心致志之情。洪氏在與孫季逑的另一書中說：「離離黃蒿，乃長屋角，閑廛積畝，反不生草。地幸稍遠，掩戶避客，偶出酬接，皆至失歡。」可見他的確貧寒潦倒，仍只知向學，不顧餘事。信中更以「非門外入刺，巷側過車，不知所處在京邑之內，所居介公卿之間也」數句作反襯，以門外的熱鬧與苦讀的孤寂，作鮮明的對照。一方面反映了「結廬在人境，而無車馬喧」的息交絕遊；一方面也表達了「冠蓋滿京華，斯人獨憔悴」的落寞，可見洪氏雖身居繁華之地，但有不趨炎逢迎，與俗浮沈的志節，所以能安貧樂道。大師風範與所謂才智之士的旁騖分神，無暇治學的作風，不可同日而言。乾嘉大師的精神，「雖不能至」，但學子務當分辨徒逞口舌之能、游談無根、不重實學而徒樹虛名的不足爲法。

雖說人各有志，今日社會更趨向多元，崇尚自由，故作風難以勉強求同，但青年立志之時，亦不妨多想想過於注重個人主義，如「放情於博弈之趣，畢命於花鳥之妍」，雖小道，必有可觀者焉，本無可厚非，但「致遠恐泥」，玩物喪志恐怕只是「生無益於時，死無損於世」，人生既缺乏自我肯定的價值，不免惶恐不安，甚而自暴自棄，不如「冀展尺寸之效」，回報先人，服務社會，以期無愧生我。至於「懸心於貴勢，役志於高名」本亦人之常情，但只怕會如〈辨志〉篇的作者張爾岐所說的：「志在貨利，未必貨利之果得也，而道義已坐失矣。」的確，貴勢、高名總是操之於人，不由我們求則得之。所謂「趙孟之所貴，趙孟能賤之」之物，得之我幸，不得我命，但與其仰人面色，受人施捨，不如先修天爵，充實學問，以求有所恃，求人不如求己，方是智者所爲。

洪氏在信中又提及治學做事，若能「專其所獨至而置其所不能」，終有「一得之獲」。青年學子不妨熟思揚雄當年若轉「移研經之術以媚世」，未必勝漢廷諸人，而坐廢深沈之思」，反而兩頭落空，韋昭若「捨著史之長以事棊，未必充吳國上選，而并亡漸漬之效」，確是不智的抉擇，兩人在歷史上的地位，更會截然不同，便可以明白立志的原則。人生有得有失，有時不能盡如人意，但絕無倖至的成功，與其好高騖遠、朝秦暮楚，不如先認識自己，量才適性，把人生的光陰和精力作最有益的運作，自然可有成功和貢獻，這也是讀〈與孫季逑書〉可以獲得的另一種啓示吧！

貶謫情懷如何解？

——綜論〈始得西山宴遊記〉、〈黃州快哉亭記〉、〈岳陽樓記〉的旨意與境界

政治圈內的風雲變幻，是最現實也是最無情的，而傳統讀書人在學優則仕的風氣中，又不免走入官場宦途。所以有氣節之士，爲了堅持理想，不肯隨俗浮沉，或一本赤誠盡忠亟諫者，往往都招來貶謫降官的命運。就以高中課文中，最常提及的好些作者爲例：漢代的賈誼；唐代的王維、李白、杜甫、韓愈、柳宗元；宋代的范仲淹、歐陽修、蘇氏兄弟、朱熹都曾受貶官之苦。尤其是柳宗元自三十三歲（順帝永貞元年）被貶爲永州司馬後，便再無機會入朝爲官，貶謫歲月佔了他仕宦生涯三分之二的時光，可見仕途的坎坷。而忠鯁見妒的蘇軾，更是一生中貶謫連連，所貶之處，大概是歷代名臣中最多最遠的，難怪東南各地多東坡題壁之跡，眞是「問汝平生功業，黃州惠州儋州」（金山寺藏李公麟繪題蘇軾圖像）。所以士人貶謫的苦悶，在許多有名的詩文上都可以看到，至於如何開解這種抑鬱之情，也是詩文中經常提及的。柳宗元的〈始得西山宴遊記〉、蘇轍的〈黃州快哉亭記〉、范仲淹的〈岳陽樓記〉可以說都是圍繞著貶謫情懷的開解來著意。教師如能掌握其中的脈理、引導學生了解人生不免有順有逆，及

培養面對逆境的心態，相信對青年的成長，無疑也增加了應付生命危機的能力和智慧，那才是一種「生活學問」的收穫。所謂讀書養慧，也是教學的重心所在，現在且從三文一窺前哲的胸懷見解：

〈始得西山宴遊記〉的融情入景，暫得解脫

本文是柳宗元貶爲永州（湖南零陵縣）司馬所作的「永州八記」首篇。柳宗元被貶的直接因素，固然是因爲「王叔文案」，但更與他本身的懷奇負氣，鯁直激進的性格有關。由於出身文行功勛顯赫的家族，父親柳鎮更以剛直敢與藩鎮朝臣相抗而得盛名，所以柳宗元自少便以「中正信義爲志」，「但欲一心直遂」，加上他的才華橫溢，聰慧博學，有如韓愈所說的：「議論證據古今，出入經史百子，踔厲風發，率常屈其座人」，更令人側目。柳宗元鑒於王叔文雖出身卑微而有心興革，認定他可以「共立仁義，裨教化」（〈答許孟容書〉），便不計較個人前途得失而接受他的薦舉爲禮部員外郎，但藩鎮與宦官不甘受削，乃鼓動太子，以順宗久病而迫其「內禪」，所以憲宗即位後，便有王黨八人一日同貶遠邑作司馬的懲處，史稱「八司馬事件」。

王叔文黨之事，史家王鳴盛便曾說王叔文行政：「其意本欲內抑宦官，外制方鎮，攝天下之財賦兵力而盡歸之朝廷。總計王叔文之謬，不過在躁進，若求眞實罪名，本無可罪。」（《十七史商榷卷七十四》），可見新黨諸人所受的委屈，可惜時人多落井下石，斥責不是，不但《新舊唐書》據實錄，對王叔文、柳宗元等多所微詞，甚至與柳並稱的韓愈，也曾責備柳「不自貴重顧藉、不能自持其身。」，他

把王、柳的新政誣爲「小人乘時偷國柄。」在抱持滿腔改革理想的柳宗元心中，對於時人的不諒解和政治上的受排斥，自然是抑憤不平，所以貶謫生涯的寄情山水，不過是求一時的解悶而已！〈始得西山宴遊記〉一文開始時，便用「恒惴慄」三字形容自爲僇人後的心情惶恐不安，雖然文中也提及登上西山，使他有「心凝形釋，與萬化冥合」之感，似乎使他得到心靈的解放，超脫人事的紛擾，但實際謫戍餘生，仍充滿驚懼之情。他曾無奈的說：「機心久已忘，何事驚麋鹿？」（〈秋曉行南谷經荒村詩〉），可見山水的美感經驗，雖使他樂而忘返，但其實未得生命的安頓。因爲柳氏是一個有熱情和理想的從政者，必是「身在江湖，心存魏闕」，不能安於遠蹈山林，逍遙自適的無爲。但他所縈懷也不是個人的祿位，而是一種「致君堯舜上」的抱負。他對自己的抉擇從不後悔，較之其他妥協於濁流的人，柳宗元是孤高的，也正如〈始得西山宴遊記〉文中所說：「然後知是山之特出，不與培塿爲類。」他是不甘降志辱身的。

柳宗元在西山之上所得的感受，雖然不能使他眞個悟道出塵，但對賞玩山水所得的片刻解脫之樂，仍見眞誠而珍惜之情，所以後世對他的山水諸作，評價甚高。例如徐善同便說：「永州諸篇……寫景也，而抒情焉；記事也，而述志焉；肫肫乎，至性之文也！」（〈柳宗元永州遊記校評〉），因爲柳完元的融情入景，使山水的生命也活潑起來，甚至他也享有天人合一的神秘的美感經驗，但卻並非最終的安頓和解脫。黃慶萱教授的〈始得西山宴遊記新探〉曾指出「柳氏在現實世界，備受挫折，轉而寄情山水，以爲山水才是了解自己而不會傷害自己的知音，這一點，非但與孟子神祕經驗中的積極義（乃由性善說導出，因為性善無外，人人均有四端之心，所以感覺「萬物皆備於我」而「所過者化，所存者神，上下與天地同流。」）及莊子神祕經驗中的逍遙義（〈齊物論〉導出，於知識方面，取消一切分別，而至於「天地與我並生，萬物與我為一」之神祕境界。）都迥異其趣，而且還可以窺見隱藏山水遊記背後的，那一股傷心人別有的懷抱。」可見貶謫之士的寄情山水，未必眞能優遊自得。

〈黃州快哉亭記〉的心中自適，以理化情

蘇轍之寫作〈黃州快哉亭記〉表面上是為張夢得而作，實際也可說為安慰天下貶謫之士而作。事緣元豐二年，大蘇以詩評譏新政而惹禍下獄（即所謂「烏臺詩案」），一向手足情深的小蘇，乃上書欲為兄長贖罪，幸賴太皇太后一意維護，而神宗也有愛才之意，東坡才得結案，貶為黃州團練副使，蘇轍也連帶被貶筠州，元豐七年調知績溪。所以在他寫〈黃州快哉亭記〉的時候，二蘇與謫居齊安而建亭黃州江畔的張夢得，可說「同是天涯淪落人」。大蘇在為亭命名「快哉」後，又示意小蘇寫此文以慰友，所以此文與〈始得西山宴遊記〉的為開解自己而作，終有不同的立場。可以說柳文是主觀的欲求解脫，蘇文是客觀的示人解脫之道。

〈黃州快哉亭記〉雖為慰藉友朋而作，但從文字表面看來，卻不曾刻意露出勸導的痕跡，而是借宋玉與楚王的問答，提出「士生於世，使其中不自得，將何往而非病？使其中坦然，不以物傷性，將何適而非快」之理，強調哀樂源於主觀的認定，唯心靈得自適，便不受環境左右。蘇轍此番見解，頗

近於蘇軾在〈赤壁賦〉中提點道士之理。東坡以爲人若悟得現象常變而主體不變，能從不變處看世間萬物，則物與我俱無盡，何必再「哀吾生之須臾，羨長江之無窮」？既勘破死生，則功名富貴之得失更不必縈懷。此種以性分自足爲要之理，固然與莊子〈齊物論〉、〈逍遙遊〉之觀點接近，亦與佛法中「萬緣放下，靈山自在汝心頭」之禪理相通。

二蘇於釋、老本有圓融參悟之得，加以蘇轍爲人，一向平淡謙抑，不但東坡讚許他「天性頗醇至」，甚至在政治上敵對的蔡京，也因他仁厚而對他的逝世恤典獨多，所以蘇轍不怨天尤人，保持心中寧靜之修養，確有深刻的領悟，所以能提出心中自得最爲重要之理以慰藉別人。蘇轍一向認爲「身閒道轉勝，內足無復營」，退休後更是杜門絕客，靜悟禪機，在悠閒自得和兒孫承歡中，享受晚年好景。可見他的善於立言勸喻，提出心中自適，苦樂操之在我的見解，較諸柳宗元的寄情山水以遣愁懷，是更高的層次。

但人之常情，豈能完全不受環境影響而達到「不以物喜，不以己悲」的境界？曠達如東坡，屢遭貶謫後雖說：「九死南荒吾不恨，茲遊奇絕冠平生」亦不過強作自解語，他心中還是惦記中原和君國的，且看〈澄邁驛通潮閣詩〉中便表達他割捨不下之情：「餘生欲老海南村，帝遣巫陽招我魂，杳杳天低鶻沒處，青山一髮是中原。」自少願學後漢范滂忠以亡身的蘇軾，心中激盪的是一股忠君愛國的熱誠，所以離儋耳時，他說：「平生多難非天意，此去殘年盡主恩」（〈次韻王鬱林〉）。可見把持此心，不以榮辱爲念，以順處逆，以理化情，可以使忠鯁之士「素貧賤行乎貧賤，素患難行乎患難」，做個坦蕩蕩俯仰無愧的君子，但揮之不去的仍是「長安不見使人愁」的陣陣痛楚與無奈，這似乎又是哲理不足解愁的證明！

〈岳陽樓記〉的先憂後樂，昇華苦悶

〈黃州快哉亭記〉在形貌上與〈岳陽樓記〉頗有類似之處，二文同爲受人囑託而寫成，而作者與修築樓亭者又同爲貶謫之人，所以文章深意不在寫景敘事，而在以理慰人及自勉自解，可謂借題發揮之作。在形式上二文都是先敘後議：如〈岳〉文首段爲序言，其次寫岳陽樓之景觀，最後爲發抒己見之議論。〈黃〉文之結構佈局亦若合符節，亦先爲序言，再寫亭上所見景物，繼而提出議論，但細察則二文之精神氣象又終有不同，這多少與作者個性才略有關。由於范仲淹出將入相，雖曾被貶，仍被倚爲國之棟樑，器宇自非凡，蘇轍則本性沉靜內斂，仕途又不如范文正公之得意，所以胸襟氣度自不同，見解亦各有所偏重。

〈岳陽樓記〉提及常人心境，不免「晴喜雨悲」，易受環境的影響，〈黃州快哉亭記〉則提出心中自適，不受外物影響喜樂之理，在見解上似更高明，但此種硬是把持本心的工夫，不是常人容易做到，畢竟心境的轉換，除逃避現實、自我麻醉外，更有效的方法是移情他志，昇華苦悶。仁人志士「居廟堂之高，則憂其民，處江湖之遠，則憂其君。」可見痛苦之源頭本不在一己之得失成敗，原是仁者愛人，忠於職責所帶來的謹慎戒懼之情，一旦能盡心竭力，對社會國家有所貢獻，則可庶幾無愧。

原來解脫痛苦之道，不只是主觀的力求自得其樂，更要有不以己身為念的精神超拔。而「先天下之憂而憂」之仁者，似乎有「終身之憂」，但亦如孟子所說的既不以橫逆為念，亦自無朝夕之患，反因不以個人成敗得失為念，而得俯仰無愧之至樂，最後痛苦之解脫，可說不求而自至！所以謫戍情懷，唯有廓然心境，擴大所愛，才能昇華痛苦，「先憂後樂」終遠勝騷人思士之情懷也！

目前的社會，人人多少有壓力感，青年在求學、創業期間，更會遭遇理想挫折或人際關係不和的打擊，與其怨憤不平，不如先冷靜下來，客觀的檢討其中原因，再以坦然的心情面對。如果自問做事已盡其在我，則成敗不足以論英雄，只要更堅持努力，一定多少可以達到理想。抱著「學問要看勝過我者，境遇要看不如我者」的心態，更能體會自己的不足和珍惜所有的一切。若遇一時的情緒低潮，不妨拋下俗務，看山、看海去。「行到水窮處，坐看雲起時」，一定會令我們有一番新的領悟，而大自然的清風，明月任人賞，得閒者便是主人，遨遊山水間，總勝過在聲色場合中流連。功成名就之際，若仍有空虛感，更不妨多想想快樂有人分享則倍增之理，除了可與家人妻子分享財富榮耀外，何不也與更多人共享？多做些服務他人、回饋社會的事，雖然還不能像范文正公有無私的偉大情操，但多少也可嘗到「獨樂不如與衆樂」的充實感！

從〈原毀〉到〈戒毀謗〉

——與學生談止謗莫如自修之理

現在的中學生，多是自尊心強、敏感、好面子的一群，不但受不得別人嚴厲的指責或無理的批判，更往往會為一句閒言鬧情緒許久，嚴重的甚至會無心向學。為了對學生作心理輔導，我們不妨在國文課上趁機多開解；因此筆者建議在講授高中文第五冊第十一課〈原毀〉時，教師不妨多用心提示如何以健康的心態面對流言毀謗。現在先介紹〈原毀〉一文的寫作背景，再作分析討論。

唐德宗貞元十九年（公元八〇三年），三十六歲的韓愈和柳宗元、劉禹錫都因御史中丞李汶的推薦，擔任監察御史，專門負責糾監百官、巡按州縣、視察訟案和整肅朝儀（請參考《唐六典．卷一三》）。但當韓愈上疏論京畿天旱，得罪京兆尹李實，也受王叔文集團的排斥，便被貶陽山。一年多後，才因大赦而離開，北上郴州，專心著述，完成「五原」——〈原道〉、〈原人〉、〈原毀〉、〈原性〉、〈原鬼〉等五篇重要作品。其中〈原道〉一篇，最為人所稱道，因為文中除了站在教化立場反對佛教和老氏之道外，更一再強調儒家道統的重要。該文可說是自魏晉以後，極力維護正統思想和明確建立儒家道統思想的一篇重要文獻，也可視為韓愈最重要的一篇代表作。

但除了〈原道〉外，〈原毀〉一文也是韓愈針對時代風氣流弊而加針砭的一篇有深意之作。中唐之世，正是朋黨紛爭，士人傾軋的時代。韓愈在文中感嘆其時之君子，不能如古之君子嚴於責己、寬以待人，更缺乏隱惡揚善的美德，鼓勵人向善，只是存著「恐恐然惟懼其人之有聞」的嫉妒心態，嚴於責人而厚以待己，使君子有「事修而謗興，德高而毀來」的惶恐，社會風氣亦無是非黑白可言，因此文中毫不留情的指出好毀謗他人，實因本身的「怠與忌」，可謂一針見血之論。

韓愈親身體驗仕途的坎坷與人心的險惡，有意呼籲當時的大人先生共同負起移風易俗的責任。所以在〈原毀〉的最後說：「將有作於上者，得吾說而存之，其國家可幾而理歟」，以強調寫此文的苦心。另外在唐憲宗元和二年（公元八〇七年）時，韓愈四十歲，讀到李翰所作的〈張巡傳〉，感到文中未爲許遠立傳，又不載雷萬春事首尾爲憾事，所以寫下〈張中丞傳後敘〉（見高中國文第六冊）以補不足，但文中雖有補記南霽雲乞兵於賀蘭及張巡生平軼事的片段，卻以申辯議論爲主。韓愈首先辯許遠之後死，不是怕死（按是賊兵欲降之，移送洛陽就審之故）。許遠原本官位高於張巡，而張巡在反對譙郡太守降賊，與士兵哭廟起義討賊後，轉戰各地，可謂無棲身之所，幸賴許遠收容，且授之權柄而甘居其下，可見其胸襟度量之勝人。再爲許遠申冤，睢陽之淪陷是由於糧源兵源俱竭，又無外援所致，並非許遠守城不力。文中更強調二人死守睢陽，以一城蔽遮江淮，阻遏敵兵攻勢，功在天下，駁斥當時有責二公不必死守睢陽的謬論。韓愈痛責「小人之好議論，不樂成人之美」，可謂「自比於逆亂，設淫辭而助之攻也」，是又一次嚴正的指責當時好毀謗，好妒忌之政風！

我們由此可以看出：〈原毀〉是一篇警世的文章，針對當時好毀謗的政風立言，而〈張中丞傳後敘〉更是韓愈主持公道，為忠良雪冤而作。將兩篇課文對照解說，足見韓愈有鐵肩擔道義之風，敢與時俗抗衡，而他平日更樂於提拔後進，成人之美，比如賈島的詩名，便是他大力捧成的。賈島早年曾做和尚（名叫無本），因「推敲」詩句而誤撞韓愈，反得韓愈的賞識而鼓勵他還俗。而自從貞元十六年，韓愈擔任國子監四門博士後，更是大量栽培人才，不顧流俗，犯笑侮，抗顏為師。他所推薦的李紳、侯喜、李翊等人都登進士第、韓門弟子滿天下，不但使古文運動，如火如荼的展開，也有助於士風的改正。可以說韓愈以本身的作為，為「反毀謗」作了最大的努力。他在二文中慷慨陳詞，也是有如孟子所說的：「自反而縮，雖千萬人吾往矣」，行得穩自然理直氣壯了。所以雖然有人認為他作〈原毀〉有「高自稱許，自鳴不平」之意，但對照他平日的樂於成就他人，韓愈並非不知羞恥的自我標榜，仍是「仗義執言」，挺身而出的衛道之士！

民初教育家蔡元培先生，雖在民國元年，出任中華民國第一任教育總長，但洞悉袁世凱帝制的野心後，乃再三要求辭職，赴德、法進修考察。民國四年，在法與李石曾、吳稚暉、張人傑等組織「勤工儉學會」，以勤以作工，儉以求學為目的。民國五年，發起籌組「華法教育會」，並於四月招考華工學校教師二十餘人，由蔡氏編發「德育、智育講義」四十篇，為之講授，作為轉授華工之準備，可惜在歐戰結束後，補助費告罄，中國學生星散，教育會也宣告結束，蔡氏的理想並未達成，不過他所編的〈德育、智育講義〉仍有參考價值。細察其內容可分為：三大類：第一類為建議性的文字，提倡正確的觀念，勉人力行，如〈合群〉、〈愛護弱者〉等；第二類爲告誡性的文字，勉人戒除陋習，如〈戒失信〉、〈戒毀謗〉等；第三類爲論辯性的文字，作更深入的剖析，以去似是而非的議論，使學生更能明辨是非，如〈文明與奢侈〉、〈理信與迷信〉、〈有恒與保守〉等。蔡氏這些講義，雖爲工讀的青年而作，但他平日修身制行的原則，也包含其中。吳稚暉、胡適之和臺大教授毛子水等都極度欽佩蔡氏爲人的「無我、無功、無名」，是罕見的完人，他的仁人之言，正是現代青年的入德之門，希望學生有空能細讀。現在將可補充〈原毀〉一文之意的〈戒毀謗〉一文，介紹給大家，以供參考。

在〈戒毀謗〉中，蔡氏首先指出：「若本無所謂非與惡，而我虛構之，或其非與惡之程度本淺，而我深文周納之，則謂之毀謗。」他更指出毀謗他人，不但不合乎人的是非良知，更不能害人而常以自害，今日文明國家，被毀者得爲賠償損失之要求，可證明害人終害己之理。文中更舉出歷史往例爲證，比如班超不計較李邑的上書朝廷毀之而付以重任，班超能持「內省不疚，何恤人言」的坦蕩蕩心態，反映了「受而不校」的美德，更使施毀謗者無地自容，由此談及「止謗莫如自修」之理。由檢討好毀謗他人的原因，進而談及君子當以毀謗他人爲戒，可以說較〈原毀〉一文的含意更進一層。將兩篇文章的觀點理論一一比較，將使學生的印象更爲深刻，也了解〈原毀〉之原，重原因之探溯追尋，所以全文側重在說明人好毀謗之故，〈戒毀謗〉則更側重使好毀謗者知所警惕改過之理來立論。

世間人事紛爭，摩擦在所不免，有時眞是「名滿天下，謗亦隨之」。比如身居唐宋八大家之首的韓愈，也曾被譏爲「好遊戲、貪仕宦，一能文狂士、渾身俗骨」（《榕川語錄・續》）。民國以來，王闓運、胡適對他亦多貶詞。十幾年前坊間雜誌中，更有一篇文章說韓愈患風流病，因亂服硫磺致死，惹得韓愈後人與之對簿公堂。其實，責人以苛之詞，無異於「蚍蜉撼大樹」，應無損韓愈在歷史上的地位。所謂「清者自清，濁者自濁」，經得考驗的，自有「雲開見月」之時。後來胡適的《白話文學史》已取消指斥韓愈可鄙的話，可見胡適亦有所轉變，不願再為「負歉韓文公之人」（日人渡邊秀方曾謂：「儒學的復興，宋儒負歉韓文公者甚多」。）所以我們一旦受人毀謗，先不要怨憤交集，不妨平心靜氣的加以檢討，以「有則改之，無則嘉勉」的態度坦然面對、深自反省。希望在「以人為鏡」時，受益更多，心中常存一分春，對他人多體諒寬容，自己也覺天地舒泰。「學問深時意氣平」，多讀書、多體認人性的弱點，我們的心情也較寧靜，畢竟「桃李不言，下自成蹊」，有德的君子，日久必自芳！

歷史的插曲俠義的典型

——〈虬髯客傳〉

小說幾乎人人都愛讀，但大多只被故事情節吸引而不知所以然。梁啓超在〈論小說與群治之關係〉一文裡，不但強調小說爲「文學之上乘」、「最能移人情者」，甚至強調「欲改良群治，必自小說界革命始；欲新民，必自新小說始。」凸顯了小說移風易俗的社會意義。

我國小說，從先秦零星片段的小家珍說到魏晉的筆記誌怪，終於到了唐代發展出短篇小說的形式——傳奇。宋人洪邁的《容齋隨筆》更讚譽唐代傳奇的成就：「唐人小說不可不熟，小小事情，悽惋欲絕，洵有神遇而不自知者，與詩律可稱一代之奇。」唐代的傳奇，的確已具備短篇小說的技巧與架構，甚至發展出「俠義類、志怪類、戀愛艷情類、歷史別傳類」等不同的流派，都對後世小說劇曲的發展有深遠的影響。其中〈虬髯客傳〉尤爲俠義小說的傑作。

俠與隱——命數的無奈．割捨的豪情

俠士與隱士兩類人物的歷史中出現，可以說是中國政治文化的背景所形成的。春秋戰國時代，隱

士、逸民的形態已普遍出現。由《論語》所載的隱者與孔子正面或間接的交談晤面，便可見一斑。而〈伯夷列傳〉到〈逸民傳〉的出現在正史中，無疑是肯定了堅持理想，不肯降志辱身者的地位。而隱的行爲，也代表了對政治社會黑暗面的消極失望，而徹底地由人生價值、人格尊嚴所發生的反抗，形成另一重大意義的生活形態，其普遍的情況，並非西洋歷史偶有隱者的出現可比，而大衆對隱士的尊重和推崇，更表達了共鳴的心聲。至於遊俠之興，亦早在春秋戰國時代露其端倪。墨子之徒，有組織有行動，「摩頂放踵」利天下而無所不爲，是後來遊俠的先河。至於荊軻、聶政的爲酬知己，不惜亡身，固然是忠勇的典型，而像魯仲連的排難解紛，功成弗居，也是俠義可風。司馬遷的序遊俠，也是鑑於朱家、郭解的好打不平、爲人解厄、爲現實社會中受不公平待遇或強權壓榨下的小百姓伸張正義，所以俠士的出現和受歡迎，也是對官府權威統治一種無言的抗議，難怪韓非要說：「俠以武犯禁」〈五蠹篇〉。

歷史上每當改朝換代之際，多的是磨拳擦掌，逐鹿問鼎的所謂豪傑之士，卻也有人不屑功位，視富貴如浮雲的，比如范蠡、張良的急流勇退、棄官歸隱，雖說二人或許鑑於所事者勾踐、劉邦之徒可以共患難，不可以共富貴。但也有如文種、韓信的自恃功高而戀棧不捨，可見捨得放棄名位者，終非凡品。俠者若缺乏「拿得起，放得下」的豪情，固不配稱俠，即隱者若缺乏不在乎的胸襟，亦不過以隱居爲「終南捷徑」，並未求得生命的安頓，所以俠與隱都得有一番割捨的豪情，而俠與隱雖文武殊途，但細察其中典型，又可以發現他們共同的悲哀是受命與位所限，總有無可奈何之處。俠者隱身漁樵問，往往也可以隱士姿態出現，所以二者往往不可分。

人雖謂生而平等，但實際不免有智愚、美醜、窮通之別。這種來自天生的不平等，一般人常稱之爲命，連孔子也說：「不知命無以爲君子。」所謂知命便是知「命有所限，位有高低」。當然以孔子的睿智修養、終悟道之能行或不能行，皆爲我所擔當順受而不再怨天尤人。隱者不強求位而甘於平淡，俠者知天數而有所進退，也是一種超脫。像虬髯客雖然具備在隋末爭霸天下的條件—身懷絕技，武功過人，又擁有萬貫家財、僕役成群—但因看出太原李氏，眞英主也，自嘆弗如，乃甘心退讓，往他方發展。並將所有悉數贈與李靖，以助眞命天子之興，這種種出人意表的言行，不免令人嘖嘖稱奇。雖然一面爲他的英雄無奈難與命爭強感到惋惜，但更讚賞他的豪情俠義。

歷史的成敗，往往被許多偶然的因素所左右，誰又是眞的英雄？而成霸業者往往只是命運較好吧！所以〈虬髯客傳〉所創造的俠義典型，是深深吸引人的。

真作假時假亦真—歷史小說迷人之處

歷史小說之迷人，正爲能滿足人們的想像力與好奇心。帝王將相的神祕面紗，是大家急欲揭開的，而歷史除了正式的記錄外，永遠有令人津津樂道的稗官野史，所以聰明的小說家，自然可在正史與傳說中馳騁其想像力以引人入勝。

〈虬髯客傳〉正發揮了歷史小說的長處，胡適先生便曾說：（《胡適文存第一集：論短篇小說》）

「凡做歷史小說，不可全用歷史的事實，卻又不可違背歷史上的事實。全用歷史事實，便成了演義體，如《三國演義》和《東周列國志》，沒有眞正小說的價值。（《三國》所以稍有小說價值者，全靠其能於歷史事實之外，加入許多小說的材料耳。）〈虬髯客傳〉的長處正在他寫了許多動人的人物事實，把「歷史」的人物（如李靖、劉文靜、唐太宗之類）和「非歷史」的人物（如虬髯客、紅拂女）穿插夾混，叫人看了，竟像那時眞有這些人物事實，但寫到後來，虬髯客飄然去了，依舊是唐太宗得了天下，絲毫不違背歷史的事實。」

這種眞假夾混的手法，的確是〈虬髯客傳〉的特色，甚至它的布局安排，也是層層襯托，幾番曲折，有待讀者抽絲剝繭，方見核心。故事一開始寫李靖、紅拂的相遇相知，紅拂夜奔的大膽行徑，雖令人稱奇，但猶以爲是一段亂世英雄兒女的情史。直到三人客棧邂逅，傾心相交，虬髯客來如迅雷的出現，風塵三俠的肝膽照人，又使人眼界一新，故事更推向高潮。但寫到熱鬧處，由於李世民的出現而峰迴路轉，使野心豪傑甘心退讓，另去海外開天下，呈現俠義世界的慷慨痛快，也點出題旨：「眞人之興，非英雄所冀，況非英雄者乎？」表露作意，令讀者也嗟嘆虬髯客的有才無命。這種立意佈局的新奇大膽，正符合「作意好奇，假小說以寄筆端」的傳奇的精神（胡應麟語），將一件歷史公案，寫得眞假難分，甚至往往因爲「說部流傳，史實轉晦」（汪辟疆語），可見歷史小說的深入人心！

寫作的技巧及成就

〈虬髯客傳〉的寫作技巧，被公認是第一流的。比如作者在取材方面，可說是「用最經濟的文學手段，描寫事實中最精采的一段、或一方面，而能使人充分滿意。」（胡適語）文中既有以虬髯客的不凡以映襯李世民的特出之意，卻不在李世民身上多費筆墨，只透過兩次看相的機會讓李世民出場，出現的時間既不多，更無道白與細節的描述，但形容其打扮相貌：「不衫不履，裼裘而來，神氣揚揚，貌與常異」，便使居末座的虬髯客心死，再寫虬髯客道兄見「文皇到來，精采驚人，長揖就座，神氣清朗，滿座風生，顧盼煒如」，便認輸棄棋而勸虬髯客另謀發展。如此著墨不多，卻使李世民「不著一字，盡得風流」，充分凸顯了李世民方是眞正主角的地位，可謂渲染烘托成功。尤其對眞正歷史人物少著墨，而轉以遠觀形容，更增加其神秘感，不至沖淡眞實感，而對李世民的渲染襯托，正符合眞命天子的形象，實在毋須多言了！由於作者描寫人物隱含比較抑揚之意，所以筆墨之間，又是前呼後應，關顧謹嚴。比如寫二人同一「裼裘而來」，寫李世民則「神氣揚揚」，寫虬髯客則稱「亦有龍虎之狀」。同一美貌，寫紅拂則「眞天人也」，寫虬髯客之妻僅曰：「蓋亦天人也。」如此比較，不特高下互見，且以極精簡筆墨以寓褒貶，用心之至！不愧上品短篇小說之譽。

雖說李世民才是此篇傳奇的幕後主角，但全文寫來，角色之間相互襯托輝映，形象生動無比，都留給讀者鮮明的印象。比如紅拂的機智果敢，善於鑑人，顯露巾幗英雄與風塵俠女的典型，迥異於傳統婦女畏怯保守、不明大義的角色；寫李靖的書生角色，亦顯露不平凡的膽識及卓見，不愧爲文武雙全之才；全文寫得最成功的，當然仍數神龍乍現的虬髯客。作者能充分抓住其「豪爽」與「飄忽」兩個特點加以描述，使英雄氣慨，躍然紙上。比如寫虬髯客於逆旅中初遇二人，「取枕欹臥，看張梳頭」，交談後更問李靖：「何以致斯異人？」毫不避諱男女之別及交情深淺問題。他以負心者心肝下酒，言行更驚人。文中又以「蹇驢、匕首、革囊、人頭、心肝」等物，加強襯托虬髯客的不羈與神秘，所以他一出現，便覺懾人心弦。最後贈金李靖，自謂「今既有主，住亦何爲？」能放下已有基業，玉成他人而另起爐灶，眞非氣度豁達者不能爲，故在對話中便見其豪放，不拘一格之思想作爲。文中寫虬髯客的行徑如神龍出沒，極見飄忽。如寫他與李靖夫婦客舍告別後：「乘驢而去，其行若飛，迴顧已失」，正如他的出現一樣的突然。最後盡贈家財奴僕與李靖，「與其妻從一奴乘馬而去，數步，遂不復見。」更像化清風而去，難以捉摸。

〈虬髯客傳〉的主題雖不能脫離傳統觀念的約束，但描寫布局、情節曲折而線索分明，敍述生動而描摹入微，比如作者雖傾全力寫虬髯客，仍能兼及李靖、紅拂，有條不紊，賓主分明，更不忘烘托出幕後主角——李世民的特別，眞是關顧周到。以棋局比天下事，更是妙喻。既然「起陸之漸，際會如期，虎嘯風生，龍吟雲萃，固非偶然」，即英雄如虬髯客亦不得不及時急流勇退，失卻一局，再謀發展。「太原有奇氣」，所以出了眞命天子，虬髯客「有龍虎之狀」，終於海外有成就，多重布線，使人物際遇，亦順理發展，最後以虬髯客離去中土作結，但結束處仍留伏筆，可供讀者玩味，筆法自有細膩深刻處。

中國歷史上俠隱的出現，令人在久困塵俗中，心焉嚮往，如果能多體會他們的豪情壯志，更不屑於蚊睫蝸角之爭，而能有萬般放下，朗朗乾坤的神清氣爽之感。讀小說，實可借他人杯酒，澆胸中塊壘也！

求全責備　真理愈辯愈明

——〈論進取冒險〉觀念、引證、用詞的商榷與補充

一、寫作背景與「新民叢報體」

今年高中國文第六冊，新選入梁啓超的〈論進取冒險〉一文。這是任公三十歲左右的作品，他當時正因戊戌政變，流亡日本，致力辦報，鼓吹革新。從清光緒二十五年到三十年其間（一八九九—一九〇四年），任公在〈清議報〉和〈新民叢報〉上，發表了一百多篇文章和專著；對當時的中國知識分子產生鉅大的影響，眞有「筆掃千軍」、「一字千金」之勢。比如有名的詩人黃遵憲，在寫給任公的信中便指出：（見《梁任公年譜長編》）

「此半年中，中國四、五十家之報，無一非助公之舌戰、拾公之牙慧者。乃至新譯之名詞、杜撰之語言、大吏之奏摺、試官之題目，亦剿襲而用之。」

梁任公所造成的文字風潮，對青年學子的影響更是鉅大，〈新民叢報〉清廷越禁越被翻刻。任公的學生指出在戊戌以後至辛亥以前（約一八九六—一九一〇年間），任公確爲「輿論之驕子、天縱之

文豪」，他「以飽帶情感之筆，寫流利暢達之文，洋洋萬言，雅俗共賞，讀時則攝魂忘疲，讀竟或怒髮衝冠，或熱淚濕紙，此非阿諛，唯有梁啓超之文如此耳！」（見吳其昌：《梁啓超》一書）由於任公的文字之力，「驚心動魄，雖鐵石人亦爲感動」，所以蔣夢麟說他「在介紹現代知識給年輕一代的工作上，其貢獻較同時代的任何人爲大。他的《新民叢報》是當時每一位渴求新知識的青年的智慧源泉。」

胡適更承認受了任公無窮的恩惠：「〈新民說〉諸篇給我開闢了一個新世界，使我徹底相信中國之外，還有很高等的民族，很高等的文化。」總之，其時學子，幾無不受任公文章的影響。

至於任公把報刊名爲「新民」，便是以爲中國要復興，就是要從民族的改造做起。他針對時代和社會的需要，吸收東方和西方道德的特點，塑造一個理想的國民標準，他稱之爲「新民」。他所期望的新民，有以下十四項的特點，即要有公德心、要有國家觀念、要有進取冒險精神、要有權利觀念、要了解自由的眞義、要有規律的生活、要認清義務、要能夠自尊、要有毅力、要能夠合群、要做社會的生利分子、要有尙武精神、要注意私德、要具有政治能力等等，這種新穎的說法，在當時確是開風氣之先。至於他那打破一切家法、義法，雜以韻語、偶語及外國詞彙，不拘一格，極自由活潑的新文體，更成了風靡一時的「報章體」的體制，所以課文選入此篇，亦有視之爲「新民叢報體」代表作之意。

二、觀念的商榷—道家思想與中國人的民族性

〈論進取冒險〉一文，正因是任公盛年之作，故文如長江大河，一瀉千里，確是氣勢澎湃，加以取材宏富，使人目不暇給，初讀不免有震懾之感，但若冷靜客觀、仔細審讀，則覺文中觀念，殊有再待商榷正視之處：比如文末謂求諸十七史列傳中，未見有冒險犯難如西方豪傑之士者，便予人以偏概全、一筆抹煞之感。即使置元朝大軍遠征至紅海，影響歐亞之事不論，考諸史實，漢唐之際，開疆拓土，張騫，班超之通西域、逐匈奴；唐玄奘、法顯之取經西方，亦不能謂全無豪傑之士。至近世學者，更主張唐宋以後，中國之經濟重心南移，對外貿易暢旺，閩粵沿海民衆遠赴南洋一帶，成爲白手起家之華僑更夥，形成對東南亞至深遠鉅大之影響力，可見民族性亦非只知保守畏難者，所以任公之論點，只可視爲因時制宜之言，未必完全符合實情。

再說中華民族的特性，雖如太陰月亮，近於和平文弱，在平常固然顯得知足自得、守舊因循，甚或世故圓滑、表裡不一，但在遭遇劫難、痛苦考驗時，亦見韌性與彈性，可以「忍辱負重」、「百折不撓」。由於民族性陰柔能忍，所以有時會予人以「沒出息」之感，難怪任公要指責國人「有女德而無男德」、「有暮氣而無朝氣」，但歷經天災、戰亂種種考驗後，中華民族尙能挺立至今，亦不得不承認民族性有堅忍能容的長處，所以在惡劣環境中亦能存活茁壯。

因此，文中完全否定老氏學說之價值，亦似未妥。大體老氏之說，亦老於世故，深懂人情之言，

自有睿智處。蔣夢麟曾指出「中國人得意時是儒家，失意時是道家。」但中國人之所以陽儒陰道，實因民族苦難特多，而中國知識分子一般宗教信仰不深，若無道家「知足」、「知止」、守柔貴後之保守觀念作爲心靈的慰藉，怎能自我開解？求快意於鬱悶失意之時？雖然，消極無爲的人生觀，已不適用於今日生機蓬勃的社會，但在升學競爭激烈的今天，不但成績低落的學生，會自暴自棄，成爲問題學生，甚至成績優異的學生，亦往往患得患失，爲分數、名次而惶恐不安，所以不妨多培養曠達的心胸，多體會「學問要看勝過我者，境遇要看不如我者」的道理，不妨提醒學生，固然要爲爭人格、爭學問而積極進取，但也要避免因過分爭強好勝致焦慮日增。

人生能坦然接受不足與失敗，才有健全的人格和心態、經得起挫折考驗。所以可將老氏之言視爲另一種觀點的提示、一服燥悶的清涼劑，雖不作爲正面的指南，也不完全否定排斥，相信達觀的智慧可助人減低精神壓力！

三、引證舉例不妥當處

由於此文引證過於繁多，不免會有時照顧不周，所以在用詞和舉例中，也有出現不盡妥當的毛病，比如文中以孟子「浩然之氣」解釋進取冒險的性質，似未盡合乎此詞之意義。歐美人士爲追求理想或堅持所見，確有不肯盲從權威，起而反抗的精神、如宗教革命及科學革命、政治革命等等，但彼等之富於進取冒險精神，亦不乏爲追求名利、財富、權勢或刺激之樂，並非全爲堅持正義與理想，所以文中舉例之亞歷山大之征波斯、哥倫布之航海、拿破崙之席捲歐洲自有其野心，豈能視爲「浩然之氣」的發揮，所以細讀文中例證便覺有過於蕪雜感，但也可說是任公以浩然之氣解釋西方人進取冒險之特質，本就不夠貼切之故。

其他較少之毛病，如以「煙士披里純」(Inspiration)靈感一詞，解釋爲熱誠最高潮之一點，亦頗令人費解。雖說人若熱中其事，念茲在茲、精誠所致，靈思泉湧亦能定疑決難，而有非常之舉，但文中舉例朱壽昌之棄官尋母、豫讓之毀身報故主之仇、諸葛亮爲蜀鞠躬盡瘁，均出於忠愛之至極，並非「靈感」所致。至於英國克林威爾甘冒弒君之大不韙而解散國會，林肯敢以內戰結束美國南北對峙之局，當是深思熟慮方下決定，並非只靠一時熱誠。熱誠與靈感，還宜有所區分。

至於以《列子．說符篇》中齊人奪市人金之故事，誤爲《戰國策》之言，恐是任公信筆揮灑而未考證之誤，尚不足爲害，惟文中又引老氏之言「不爲物先，不爲物後」二句，上句固爲老、莊之思想重要之一環，但後一句「不爲物後」未見出現於《老》、《莊》書中，且與老氏以退爲進、以舍爲取之思想不符，則影響較大。再如西儒姚哥氏有言：「婦人，弱也，而爲母則強。」一句，未指明出處，頗增人困惑，據譯音則此人似指法國文學家(Virt or hvgo)，譯作雨果或囂俄，爲詩歌戲劇、小說浪漫派之鉅子，也是電影「鐘樓駝俠」（「巴黎聖母寺」）的原著作者。又文中引王陽明詩當爲〈示諸生〉三首七律中的第二首，原詩爲：「人人有路透長安，坦坦平平一直看，盡覺聖賢須有祕，翻嫌易簡卻求難。只從孝悌爲堯舜，莫把辭章學柳韓。不信自家具原足，請君隨事反身觀。」此詩大旨在勉人把握自性良知，胸懷坦然平定，勇往直前，無所遲疑瞻顧，自可通達理想境界，因課文注解獨缺此，故於此補充說明。

四、「大匠轉四時，功成者自去」——平心論課文

梁任公《新民叢報》上的文章，在清末的影響和貢獻是無人能及的，自然有裨於當時的人心士氣，但以今日較客觀的立場檢討，便覺其中論點亦有未盡妥善處，所以學生亦可提出質疑，多與老師討論，以求眞理越辯越明。至於半文半白、半雅半俗的文體，也不是很好的範文，若學生學不得其法，反爲不美，所以老師亦有說明的必要。

細察任公之言行，可謂一生多變，因其本有從善如流、勇於進取之傾向，故不惜以「今日之我與昨日之我交戰」。他初聞南海之學便盡棄舊學而師事之，後又曾在立憲，保皇與革命主張中搖擺不定，晚年又趨於保守國故而反對科學，可見其感於中國積弱之病而有「新民」之說，自不免有過激之言。當然，〈論進取冒險〉一文，亦有可觀之處。比如文中強調理直氣壯，方能冒險進取，亦見孟子大丈夫之精神，有豪傑自興的氣概，更與常言所謂「有理行遍天下」之意相通。學子讀此文，自可取其「自反而縮，雖千萬人吾往矣」之旨意自勉，以期成爲有抱負、有擔當之人。文中提出進取冒險之精神，生於「希望、膽力、熱誠、智慧」亦分析詳盡，可爲讀者修養之用。

由於清末列強入侵，任公因震驚歐美之強而凌辱中國，故心中懷抱憂時傷國之情懷，亟欲振起人

心，喚醒國魂，所以行文不免語多憤慨，雖偶有「不能持論，理不勝辭」之處，但洋溢眞摯熱誠之情感，亦使有心人共鳴。本文仍見任公筆墨能移人情的魅力，且引證古今，對照中外，確爲洋洋灑灑，大筆如椽，淋漓盡致之作！

〈曹丕與吳質書〉探析

——政治與文學的糾纏

孟子嘗謂：「頌其詩，讀其書，不知其人可乎？是以論其世也，是尚友也。」讀書能知人論世，才能有全盤的了解，也可增廣學養與識見。國文老師在授課時，固然先要把課文講解清楚，但更不妨本「以小窺大」的原則，從一篇課文中介紹文學史上相關的問題並作深入的分析，探究其內涵，以便養成學生思辨求知的精神和獲得完整的概念。曹丕的〈與吳質書〉，雖是高中課本上短短的一課，但教師如能用心發揮，也會感到英雄有用武之地的。

◎建安文學鳥瞰

漢獻帝建安年間，政治上是曹操的天下（史載天子命公贊拜不名，入朝不趨，劍履上殿，如蕭何故事。），文學上更是曹氏父子的天下。《文心雕龍》時序篇說：

魏武以相王之尊，雅愛詩章；文帝以副君之重，妙善辭賦；陳思以公子之豪，下筆琳瑯，並體茂英逸，故俊才雲蒸；

仲宣委質於漢南、孔璋歸命於河北……傲雅觴豆之前，雍容衽席之上，灑筆以成酣歌，和墨以藉談笑。

另外，鍾嶸《詩品》序也說：

降及建安，曹公父子，篤好斯文；平原兄弟，鬱爲文棟；劉楨、王粲爲其羽翼。次有攀龍託鳳，自致於屬車者，蓋以百計，彬彬之盛，大備於時矣。

而且「建安七子」、「三祖陳王」等稱謂都成了文學史上的習語以及建安文學的代表作家。七子之名始見於曹丕之《典論》論文：

今之文人，魯國孔融、廣陵陳琳、山陽王粲、北海徐幹、陳留阮瑀、汝南應瑒、東平劉楨，斯七子者，於學無所遺，於辭無所假，咸以自騁驥騄於千里，仰齊足而並馳。

三祖陳王之稱則見於沈約〈謝靈運傳〉：「至於建安，曹氏基命，三祖陳王，咸蓄盛藻。」

建安文學，以詩歌爲主流。當時之樂府詩，一方面能保存樂府詩的傳統精神，反映現實，而建立以情緯文、以文披質、慷慨悲涼的「建安風骨」的特色。另一方面，也流露了玄虛思想與仙人高士的渴慕以及人生無常的苦悶，因此下開兩晉遊仙詩作的先聲，可謂具承先啓後的地位，而三祖也皆以樂府見稱，各擅勝場。

《詩經》以四言爲主，後苦其文繁意少而逐漸出現五言詩。班固的詠史詩，使五言體的形式完全成立，但仍稍嫌質木無文，直到「古詩十九首」，才是眞正成熟的五言之作。而到了建安時代，曹植的五言詩彬彬大盛，可謂五言詩的登峰造極者。而曹丕創作了〈燕歌行〉，使七言詩體成立，這在我國詩史上大有貢獻。其《典論》之作倡導文學批評之風，確定純文學的價值與地位，影響深遠，不愧居於領袖群倫的地位。

◎從政治與文學看曹氏父子的成就

曹操本人一生以權術自喜，挾天子以令諸侯、逼殺伏皇后，可謂不臣至極。更放膽直言「設使國家無有孤，不知當幾人稱帝、幾人稱王！」為了防止反側，猜疑臣下（如荀彧、毛玠），誅殺名士（如孔融、禰衡、楊修）。至於曹丕，更勝乃父一籌，假託堯舜禪讓之名，篡漢自立，刻薄寡恩，尤其苛待宗室，設有輔監國的官職伺察諸弟的封地，「禁防壅隔，同於囹圄」，以致骨肉惶恐，天倫慘變。《世說新語．尤悔篇》便載其迫害兄弟之事：

> 魏文帝忌弟任城王驍壯，因在卞太后閤共圍棊，並噉棗。文帝以毒置諸棗蔕中，自選可食者而進。王弗悟，遂雜進之；既中毒，太后索水救之，帝預敕左右毀缾罐，太后徒跣趨井，無以汲，須臾，遂卒。復欲害東阿。太后曰：「汝已殺我任城，不得復殺我東阿。」

曹丕對兄弟的猜忌，源於最初的嗣位權之爭。曹植一向個性平易，不拘小節，言行近於文士。本人也許未嘗有意爭取繼嗣，但自因〈銅雀台賦〉為曹操激賞後，一班文士更在曹操面前揄揚備致，逐漸形成一股力量，彷彿有意於角逐嗣位之事，而令曹丕側目。實際曹植的左右只是並無實職的文士；子桓則有元老重臣爲輔，又有賈詡爲其設謀、吳質爲其諮詢，他本人又矯情自飾，貴人左右並爲之說，當然擊敗胸無城府的曹植。更屢加無情的迫害，著名的〈七步詩〉已可爲證。至於曹植憤而成篇的詩章及屢次上表求試用，都令人對曹丕之作爲齒冷。今錄曹植〈贈白馬王彪〉詩爲證，以見其悲憤之情。

「太息將何爲，天命與我違。奈何念同生，一往形不歸。孤魂翔故域，靈柩寄京師，存者忽復過，忘歿身自衰。人生處一世，去若朝露晞。年在桑榆間，景響不能追。自顧非金石，咄唶令人悲。」

政治上的曹植，完全處於劣勢，但文壇上的地位，則凌駕於父兄之上。比如《詩品》把魏武、魏明列於下品，魏文列於中品，卻獨把曹植列於上品。謝靈運更認爲「天下才有一石，曹子建獨占八斗。」可謂推崇備致。但平心而論，三祖中除明帝有氣勢而弱才情，自當居末外，曹操、曹丕父子之作亦殊有足觀處。一代梟雄的曹操，橫槊賦詩，長於才與氣。《詩品》也說：「曹公古直，甚有悲涼之句」，讀其樂府如〈苦寒行〉、〈卻東西門〉等，亦覺其能道盡將士離索之悲，自有感人之處，因此後人如王士禎反對《詩品》將其置於下品。至於曹丕在文學史有很大的開創貢獻，已如前述。他也能寫極好的五言詩和樂府詩，歷來詩評家對他的讚美亦不少，比如鍾嶸說：「魏文帝其源出於李陵，頗有仲宣之體則。」沈德潛說：「子桓詩有文士氣，一變乃父悲壯之習矣，要其便娟婉約，能移人情。」曹操與曹丕在文學上流露的風格，實與其政治上之表現迥不相同，但恐怕由於先知其人，對其作品之評價便有所偏頗。這種心態，劉勰於《文心雕龍．才略篇》曾指出：

魏文之才，洋洋清綺，舊談抑之，謂去植千里。然子建思捷而才儁，詩麗而表逸；子桓慮詳而力緩，故不競於先鳴。而樂府，典論辯要，迭用短長，亦無懵焉。但俗情抑揚，雷同一響，遂令文帝以位尊減才，思王以勢窘益價，未爲篤論也。

當然劉勰這段話有點矯枉過正。曹植在詩壇上的地位，還是屈原以後第一人，但以曹丕在政壇上勞神竭智、勾心鬥角之餘，在文學上有此成就，亦殊爲難得矣！或許曹丕亦領悟到「年壽有時而盡，榮樂止乎其身」，未若文章乃「不朽之盛事」，確亦有意使其詩文垂之無窮。

曹操、曹丕父子性格的複雜、成就的多方面，確是值得仔細分析思辨的。教師於此不妨提醒學生知人論世必須是全面的，不能因人廢言，亦不可見小遺大，更要以虛心聽、以公心辨，才能弄清眞相原委。如果有先入爲主的成見，恐怕便會把曹氏父子文學上的成就與政治上的表現混爲一談，不能眞正欣賞其作品。由於曹氏父子間恩怨糾纏，不免令人想到另一個常爲人提及的話題——曹植的〈洛神賦〉」究竟是否爲甄后（曹丕之妻）而作？認爲曹植與甄后有私情之說，見於《昭明文選》洛神賦注記曰：

魏東阿王漢末求甄逸女既不遂，太祖（曹操）回，與五官中郎將（曹丕）。植殊不平，晝思夜想，廢寢與食。黃初中入朝，帝示植甄后玉鏤金帶枕，植見之，不覺泣。時已爲郭后讒死，帝意亦尋悟，因令太子留宴飲，仍以枕賚植。植還度轘轅，少許時將息洛水上，思甄后，忽見女來。自云：「我本託心君王，其心不遂，此枕是我在家時，從嫁前與五官中郎將，今與君王，遂用薦枕席，懽情交集……。」言迄遂不復見所在，遣人獻珠於王，王答以玉佩，悲喜不能自勝，遂作〈感甄賦〉，後明帝見之改爲〈洛神賦〉。

此賦曹植自云感宋玉對楚王神女之事而作，篇中極寫與洛神相遇、兩相愛慕之情；但格於人神，不能廝守，不禁情懷怨悵。此賦作於黃初三年，丕立植爲鄄城王，四年徙封雍丘。曹植於黃初年間備受曹丕迫害，徙都頻數，動見猜防，（比如前述曹植毒害任城王之事便發生在黃初四年五月，曹植賴太后力救方能免遭毒手。）處境煎迫之際，曹植賦此，恐仍是繼承離騷香草美人以喻國君的傳統作風，以此賦向丕求情。故筆者比較贊同〈洛神賦〉乃思念其君不得自達者之怨辭，而不大贊同《文選》注所言。

◎曹丕、曹植與吳質論「建安七子」

曹丕、曹植、吳質三人都與建安七子交遊往從，殊爲熟稔。但三人對七子的評價各自不同，今略加整理，表列如後，以供學生作相互比較之用，以加深其印象，並由此而見三人之評論何者較爲得當。

曹丕：（典論論文、與吳質書）

①王粲：長於辭賦，惜其體弱，不足起其文。至於所善，古人無以遠過，可與張衡、蔡邕比美。

②徐幹：時有齊氣，然可與粲匹敵，更難得者懷文抱質，有箕山之志，著《中論》二十餘篇，成一家之言，可以不朽。

③陳琳、阮瑀：俱擅章表書記，然陳琳稍爲繁富，元瑜則書記翩翩，致足樂也。
④應瑒：和而不壯，才學足以著書，惜美志未遂而卒。
⑤劉楨：壯而不密，有逸氣，但未遒耳，五言詩妙絕時人。
⑥孔融：體氣高妙，所善揚雄、班固類也，然不能持論，理不勝辭，甚至雜以嘲戲。

曹植（與楊德祖書）仲宣獨步於漢南，孔璋鷹揚於河朔，偉長擅名於青土，公幹振藻於海隅，德璉發跡於北魏，足下（楊修）高視於上京，當此之時，人人自謂握靈蛇之珠，家家自謂抱荊山之玉。……然此數子，猶復不能飛軒絕跡，一舉千里，以孔璋（陳琳）之才，不閑於辭賦，而多自謂能與司馬長卿同風，譬畫虎不成，反爲狗也。

吳質（答魏太子箋）徐、陳、應、劉，才學所著，誠如來命，惜其不遂，可爲痛切！凡此數子，於雍容侍從，實其人也；若乃邊境有虞，群下鼎沸，軍書輻至，羽檄交馳，於彼諸賢，非其任也。……

……而今各逝，已爲異物矣。後來君子，實可畏也。

由三人之評論七子，可見曹植確是任性使氣，快意行文，他有點瞧不起七子，頗有「以己之長，方人之短」之慨。而吳質更有輕視舞文弄墨者不勝任重之意，二人所論大抵只是一偏之見，未能作持平之論。曹丕之言方合實際，能就其長短或褒或貶，的確可以權衡群彥，對揚厥第，確是首開文學批評之風。《文心雕龍．才略篇》所言，可與之互爲參證：

仲宣溢才，捷而能密，文多兼善，辭少瑕累，摘其詩賦，則七子之冠冕乎！琳、瑀以符檄擅聲，徐幹以賦論標美，劉楨情高以會采，應瑒學優以得文。

◎由吳質〈答魏太子牋〉求證曹丕〈與吳質書〉之蘊涵

曹丕「與吳質書」的課文題解，認爲全文以傷徐、陳、應、劉一時俱逝爲主。細察文中之第二、三、四段的確含有傷人才難得、舊誼難忘之意，反覆感嘆，倍覺情致纏綿。但恐怕曹丕眞正煩惱的是：「以犬羊之質，服虎豹之文；無衆星之明，假日月之光，動見瞻觀，何時易乎？」丕雖已立爲嗣子，但仍恐父王之心意不定，懼群弟（尤其曹植）與之爭位，不免眞如信中所言「所懷萬端，時有所慮，至通夜不瞑」。由於曹植已漸受到曹操的另眼相待，（比如曹操出兵征孫權時，便叫曹植留守鄴城，頗有付以重任，試其才華之意。）建安廿二年，曹植增置五千戶食邑，正是「聖眷日隆」的時刻。可惜他飲酒不節，私開「司馬門」外出，使曹操大爲震怒，下令賜死司車令；並加緊對各王的監視，曹植也逐漸失去寵信。並且由於楊修被曹操藉口擾亂軍心處死，更使曹植失去最重要的智囊與心腹。這種父子君臣間不友善之事，不免使曹丕大有戒心，所以信中常流露哀性命之不永、傷人事之不齊之嘆！

細察吳質「答魏太子牋」中，雖於首段亦有感傷語如謂：「何意數年之間，死喪略盡，臣獨何德，以堪久長？」但下文則化悲爲壯，力勸曹丕不必以七子之逝爲念，蓋後生可畏，未來必有更多可用之才。更強調自己「值風雲之會，時邁齒耊，猶欲觸胸奮首，展其割裂之用」之志，表示年雖已老，猶欲奮起立功，決不惜效死以報知遇之恩，隱約暗示曹丕不必擔心七子死後，羽翼已除，聲援無人。信中又極力推崇曹丕「雖年齊蕭王，才實百之，此衆議所以歸高，遠近所以同聲也。」吳質的安慰，相信定能使「東望於邑」的曹丕，大爲寬心。曹丕之倚重吳質，由《三國演義》第七十二回所載，可略窺一二：

操與眾商議，欲立植爲世子。曹丕知之，密請朝歌長吳質入內府商議；因恐有人知覺，乃用大簏藏吳質於中，只說是絹匹在內，載入府中。修知其事，逕來告操。操令人於丕府門察之。丕慌告吳質，質曰：「無憂也。明日用大簏裝絹，再入以惑之。」丕如其言，以大簏載絹入，使者搜看簏中，果絹也，回報曹操。操因疑修譖害曹丕，愈惡之。

此事雖不見於正史，但曹丕以吳質爲心腹重臣，二人交情非比尋常，則信而有徵也。

由曹丕的〈與吳質書〉」中細細發掘，不難見到曹魏時代的一段歷史縮影。更能知道縱使驕橫不可一世的梟雄，也跟常人一樣具有憂戚愁苦的一面。如果他們當時能徹底領悟「是非成敗轉頭空」之理，平息其野心，自不會陷於權術傾軋的痛苦中！或者轉移心力，縱橫馳騁於文壇上，以求立言留名，可能更有利於本人，更有益於蒼生。

叁　民初學者的介紹

萬丈豪情縱橫天下的梁啓超

——最具魅力的學者

歷史上每一個名人或成功的人，都具有某些人格上的特質，使人欽佩，也造就了他自己。只要一提及梁啓超，總令人聯想到他多采多姿、充滿變化的一生。從一個清末舉人，變成維新運動的首領，由保皇黨改爲支持革命，在軍閥割據之際，又能左右政局，更能組織政黨，抗衡時局，他的一舉一動，幾乎和國運息息相關……

出處進退操之在我影響國運

歷史上每一個名人或成功的人，都具有某些人格上的特質，使人欽佩，也造就了他自己。只要一提及梁啓超，總令人連想到他多姿多采、充滿變化的一生。從一個清末舉人，變成維新運動的首領，由保皇黨改爲支持革命，在軍閥割據之際，又能左右政局，更能組織政黨，抗衡時局，他的一舉一動，幾乎和國運息息相關。自然也因他這種「立場不穩」的表現而遭遇不少誤解。比如他與康有爲情同師生，曾一致推行滿清的變法維新，但自梁氏亡命日本，有機會與革命思潮接觸，他便逐漸有同情革命的傾向，而康有爲始終不脫保皇立憲的範疇，民國成立，仍有復辟之想，故二人終因政治立場不同而分手，氣得康有爲痛責他「鴟梟食母獍食父」，「逢蒙彎弓專射羿」（美森院幽居詩），把他視爲忘恩負義之徒。但綜觀梁氏一生都在「以昨日之我，戰今日之我」，他的善變，正是他不存成見，故與舊可合，與新可合，與任何大潮流亦可相終始，但任何大勢力不合乎義者，梁氏亦反對不遺餘力，所以他與康有爲的由合而分、與袁世凱的由善而仇，與國父、章太炎的棄惡言好，正充分見出他一生行事，問事不問人的態度，所謂出處進退，操之在己。

一篇文章粉碎袁世凱帝王夢

胡適在〈四十自述〉中曾承認他受了梁啓超無窮的恩惠，由於梁氏文章使他在思想見聞上開闢了一個新世界，他曾歌頌梁氏對國運的貢獻：「梁任公爲吾國革命第一大功臣，其功在革新吾國之思想界。」雖也許有所偏愛而溢美，但梁氏辦的「清議報」、「新民叢報」，雖未明白提出種族革命，但他介紹新觀念，使讀者能知民族思想主義及世界大勢，所以在一般少年人的腦海裡，已種下不少革命種子。胡適認爲「文字收功日，全球革命時」二語惟梁氏可當之無愧。的確當時梁任公用他那枝「筆鋒常帶情感」的健筆，指揮那無數歷史的例證，組織成那些能使人鼓舞，使人掉淚，使人感激奮發的文章，所產生的影響力眞難以估計。

當年夢想稱帝的袁世凱，曾刻意拉攏梁氏，而任公因爲想以袁的實力阻止急進派横行，以施展平生抱負，所以曾在熊希齡內閣任司法總長，也曾為袁的「憲法起草」委員，但等到袁與日本密約的事被公開，梁氏便公然反對，移居天津。袁氏也曾以為梁氏父親祝壽為名，餽贈二十萬金而為梁氏璧謝退還。後來袁世凱帝制的被推翻，軍事力量主要是由梁氏的弟子蔡鍔聯絡唐繼堯在雲南起義；文字方面則沒有比梁氏的〈異哉所謂國體問題〉一文的影響力更大，梁氏的如椽巨筆，揭發一代梟雄的野心，引起國人交相指責，竟然粉碎了他的帝王夢！梁氏在反對帝制和張勳復辟的行動上，都作了很大的貢獻，假如他起初就能有「成功不必在我」的胸襟，在歷史上的地位會更高！

「新民體」筆力風靡全國

梁氏一生，都在不斷的求突破，求進步；在治學上更是興趣廣泛、涉獵博多。在整理國故上，梁氏原奉清代考證之學，但他的考據，不僅從事訓詁辨偽，更應用科學方法，從事體系整理。他研究的範圍，也不限於經學而及於諸子學說，他最讚許孟子、又好墨子，他自號任公，便是本於墨家兼愛之意。由於他研究諸子和佛學，在哲學上闢出許多新境地，所以他的著作除了報刊雜文外，《清代學術概論》、《中國歷史研究法》、《先秦政治思想史》、《中國近三百年學術史》、《墨子學案》、《佛教研究十八篇》都是在學術研究方面有很大貢獻的。

自然，大家更熟悉的是他在文學上的創新，自成一體。出身桐城古文流風所及的時代，他打破一切家法、義法，雜以韻語、偶語、俗語及外國語法，形成一種極為自由而條理明晰的文體。他亡命日本時，文章隨他所辦的刊物《新民叢報》傳遍全國，青年學子，競相摹傚，被稱為「新民體」。國人喜讀〈新民叢報〉、「清廷雖嚴禁而不能遏，每一冊出，內地翻刻本輒十數」，他的文字魅力，絕非自誇，且看蔣夢麟在《西潮》一書中便曾說：

「梁啓超在東京出版的《新民叢報》綜合性的月刊，內容從短篇小說到形而上學，無所不包。其中有基本科學常識，有歷史、有政治論著，有自傳、有文學作品。梁氏簡潔的文筆深入淺出，能使人了解任何新穎或困難的問題。當時正需要介紹西方觀念到中國，梁氏深入淺出的才能尤其顯得重要……我認為這位偉大的學者，在介紹現代知識給年輕一代的工作上，其貢獻較同時代的任何人為大。他的《新民叢報》是當時每一位渴求新知識的青年的智慧源泉。」

隨著「新民體」筆力的横掃全國，梁氏也成了當時的青年導師，青年都尊敬仰慕他，而梁氏放棄政治活動後，也全力投入從事於培植人才的教育事業。自民國十四年，他受聘進入清華國學研究院，他授課的精采和獎掖後進的熱誠，為院中師生所欽佩樂道。後來他為了便血症，住進協和醫院，雖在病中，仍勉力為學生批改筆箚，剖析疑義，臨終之際，仍在撰寫《辛棄疾年譜》，他一生的著述，不下百餘萬字。他以五十七歲壯盛之年去世，雖說可能是一時忽略健康、不知惜生所致，但與他做事治學的勤奮投入，自然大有關係。梁氏一生，正如他自己說的：「但有進兮不知止」！

慕道若渴，從善如流

任公之所以能雄視一代，成爲清末民初影響深遠的人物，不只因爲他的筆力雄健，也是因爲他的心思通達，可新可變，而心思通達，則與他的爲人慕道若渴，從善如流的作風有關。

梁氏在十七歲時便中舉，且主考李端棻尙書奇其才而以妹許配，可見他的六歲治五經、九歲能綴千言的「神童」之譽，並非浪得虛名（自然也與他曾受嚴格的庭訓有關，由於常被其父訓斥：「汝自視乃如常兒乎？」幼年的梁啓超便奮志向學，且讀書甚廣，爲以後的自學打下良好的基礎）。而梁氏初識康有爲時，康比他年長十五歲，卻未曾中舉（光緒十九年始中舉，比梁晚四年），梁氏是以舉人而拜秀才爲師，可見他眞正做到了「學無前後，達者爲師」的風範。他自述他在聆聽康有爲指其所學無用後，不但不曲爲辯解，且折節下拜，他敍述當時的感受十分強烈：

「時余以少年科第，且於時流所推重之訓詁詞章學頗有所知，輒沾沾自喜，先生乃以大海潮音作獅子吼，取其所挾持之數百年無用舊學更端駁詰，悉舉而推陷廓靖之。……冷水澆背，當頭一棒，一旦盡失其故壘，惘惘然不知所從事；且驚且喜，且怨且艾……明日再謁，請爲學方針。先生乃教以陸王心學而並及史學西學之梗概，且是決然捨去舊學，且退出學海堂，而間日請業南海之門，生平知有學自茲始」（〈三十自述〉）

由於他具有這種從善如流的精神，和勇於求新的勇氣，所以不但在接觸康有爲後能棄其舊學，他在思想上，一直主張自由放任，排斥偶像，又介紹各家學問，主張世界各家學說應無限制輸入。當他在民國七年，偕同張君勱、丁文江等人遊歷歐洲各國，並在巴黎近郊，開始寫作，爲中國及中國文化謀求出路，他呼籲國人「從偏狹的愛國主義擴大而爲世界國家主義。」「革命派與改良派開始合作，藉以產生全民政治」，更希望「人人盡性，發揮最大潛能，以造成自動創化的社會。」「要有法治精神和平等契約精神。」他在歐遊後，回國組成「共學社」，翻譯西洋名著，請羅素等人來講學，都可見出他心胸的開廣，確是努力想成爲思想界首先發難者—如陳涉的首先抗秦。不過他所提出的「西政爲主，西藝爲附」的改革觀念，和「政急於藝」的教育主張，卻引導了中國改革走上歧途。因爲認定西政爲治天下大道，則西政教育思想的內容，都以政治爲主，所以一入於實踐，便引起政治制度的改革運動，第一次是「戊戌維新」，第二次是「辛亥革命」。這兩次運動對於中國社會制度都引起鉅大的改革，甚至其後的「五四運動」等等，還是受到西政思想的影響，而西政教育思想既具有全盤的實踐意義，所以使一般有心改革的人，便認爲政治是萬能的，只要政治形式一變，一切問題便可解決，這種以偏概全的錯誤觀念，相沿下來，成了政治萬能的誤導，應該是重行檢討的時候了！

梁氏與徐志摩的師生情誼

也許梁氏在某些觀念思想上，也未能做到他自己所說的：「解放思想要徹底，不許有一毫先入爲主的意見」，所以在政治改革上，不失傳統士大夫以政爲先的觀念，而對於個人情感問題，亦趨於保守，他不但在海外流亡時，不敢接受華僑女子何蕙珍的感情而鬧婚變，也反對他的學生徐志摩與他的夫人張幼儀離婚。他認爲戀愛神聖雖爲少年人所樂道，但「多情多感之人，其幻象起落鶻突，而得滿足得寧帖也極難。所夢想之神聖境界終不可得，徒以煩惱終其已耳。」但充滿理想主義的徐志摩，卻更堅信自己的作爲「甘冒世之不韙，竭全力以鬥者，非特求免凶慘之苦痛，實求良心之安頓，求人格之確立，求靈魂之救度耳。」由於梁氏不讚成徐志摩離婚，所以在主持他與陸小曼結婚典禮上，很不客氣的把新郎新娘痛斥一番，成爲一場別開生面的一場證婚，但兩人的風度表現，也正如梁實秋所說的：「只有梁任公可以這樣罵他，也只有徐志摩這樣一個學生，梁任公才肯罵。」眞正是一對不平凡的師生—他們一生最精采的合作，是鑑於蘇俄當時對蒙古、新疆、烏梁海等地的侵略行爲，與搞「中蘇友好」、「蘇俄不是帝國主義」的虛僞宣傳的可怕，曾相約撰文揭其陰謀，在報刊上展開一場「關於蘇俄仇友問題的討論」，再一次流露他們對國家時事的關懷！

處在一個潮流動盪、思想沖激的時代，梁氏的片語提撕，對當時的青年都有振聾發瞶的作用。聰慧如徐志摩的，也十分崇拜梁啓超，以爲「先生之文章亦夭矯神龍之盤空，力可拔山，氣可蓋世，淋漓沉痛，固不獨志摩爲之低昂慷慨，舉凡天下有血性人，無不騰攘激發有不能自已者矣」！稱梁氏爲最具魅力的學者，當非過譽也！

北大的傳薪人——蔡元培先生（一八六七—一九四〇）

他注重音樂和美術教育的修養，大力提倡以美育取代宗教，五育並重的想法，成爲教育觀念上的一大革新，甚至在今天，提倡美育的思想，更具有重大的意義。

再造北大，改革教育

一提起海峽兩岸的高等學府，聲譽最隆，最爲人熟知的莫過於「北京大學」，但若追究「北大」的淵源，我們又不能不說，沒有蔡元培，就沒有其後的「北大」。原來北大的前身是「京師大學堂」，是清朝當年爲興新學而辦的「樣版大學」，初辦時所收的學生都是京官，民國以後就讀的也多是貴族子弟，所以有「老爺學生」之稱。他們旨在混文憑、求升官的門路，不喜歡認眞嚴格的教員，甚至經常逛「八大胡同」，那時北大，可以說風氣腐敗之極。民國六年，蔡氏出掌北大，便進行種種改革，使北大脫胎換骨。

首先他改革學生的觀念，勉學生以「研究學問、砥礪德行、敬愛師友」三事，強調「不當以大學爲升官發財之階梯」，由於他的倡導，使北大學生和政客、軍閥逐漸疏遠，學術研究才被重視。他宣布辦學的宗旨，崇尚學術自由，他聘請教授，只問學力，不講資歷，也不問思想派別，所以北大擁有拖著辮子的復辟派辜鴻銘、有擁護袁世凱稱帝的劉光漢、有主張邏輯古文的章士釗，反對白話文的黃季剛，也有提倡白話文的胡適和陳獨秀，可說是兼容並蓄。同時為吸收西方新文化，蔡氏也聘請國外著名學者來講學，比如杜威、羅素等，以提高北大的學術水準。

至於行政措施方面，他也作了許多新規定，比如招收女生、實行教授治校的辦法，重視考試，但不公布成績，只私下通知不合格的學生補考，注重音樂、美術等教育修養。他大力提倡以美育取代宗教，德、智、體、群、美「五育並重」的觀念，成為教育觀念上一大革新。

由於蔡氏的銳意改革，才將腐敗的北大變成首屈一指的學府，但也由於北大校風過於自由而引起守舊派的不滿，比如清末桐城派的林紓，則曾以信函公開刊登於〈公言報〉，指責北大教授以「覆孔孟、剷倫常」為快，更有主張「盡廢古書，行用土話為文字」的不當之舉。蔡氏亦公開答辯，請對方先考察「北大」是否已盡廢古文而專用白話？大學少數教員所倡之白話文字，是否與引車賣漿者所操之語相等？陳獨秀主編之《新青年》中，雖偶有對孔子學說之批判，但也是對孔教會等托孔子學說以攻擊新學說者而發，初非直接與孔子為敵，北大更有一「進德會」，且提倡倫理學，相約不嫖、不娶妾。蔡氏強調他主持北大的兩種主張：㈠對於學說，並不違背林紓所言「圓通廣大」四字，故兼容並包，只要其言之成理，尚不達自然淘汰的命運，悉聽其自由發展，㈡對教員，以學詣為主，在校講學，以無背於第一種之主張為界限，在校外之言動，即不代負責任。由此可見蔡氏的堅持，才造就北大的獨立自由的校風。

有所不為而後有所為

蔡氏自辭去北大校長，大學院長、司法部長、監察院長（未就職），即專任中央研究院院長，規劃推進學術研究工作，他其後所做的事都直接或間接與文化教育有關。由於他的首開風氣，使中國知識領域由一向文學獨霸的局面，變成科學與文學的分庭抗禮；他主張歷史、哲學和四書五經要根據現代的科學方法來研究。由於研究精神的蓬勃，使中國學術界有如回復到先秦諸子或者古希臘蘇格拉底和亞里士多德的時代，所以蔣夢麟把蔡氏比喻爲中國的蘇格拉底，說他「在靜水中投下知識革命之石」，引發陣陣漣漪與旋流，蔡氏對我國教育界的貢獻與改革實大！

蔣夢麟在《西潮．第十五章》中，曾這樣形容蔡元培：

「蔡先生晚年表現了中國文人的一切優點，同時虛懷若谷，樂於接受西洋觀念。他那從眼鏡上面望出來的兩隻眼睛，機警而沈著；他的語調雖然平板，但是從容、清晰、流利而懇摯。他從不疾言厲色對人，但在氣憤時，他的話也會變得非常快捷、嚴厲、扼要……他的身材矮小，但是行動沉穩。他讀書時，伸出纖細的手指迅速地翻著書頁，似乎是一目十行的讀，而且有過目不忘之稱。他對自然和藝術的愛好，使他的心境平靜，思想崇高，趣味雅潔，態度懇切而平和，生活樸素而謙抑。他虛懷若谷，對於任何意見、批評或建議都欣然接納。」

這位平日是謙謙君子，實際是一個操守耿介的學者，「柔亦不茹，剛亦不吐」，正是他的風骨。比如在民國八年的「五四運動」後，許多大學生被逮捕，蔡氏日夜營救，但眼見北京當局仍要嚴辦學生，乃憤而辭職南下，又發表〈洪水與猛獸〉一文，主張疏導新思潮的洪水以馴伏北洋軍閥的猛獸。後經各方力邀，他再出任北大校長，但他發覺學生活動漸有不受約束，沉醉於權力的傾向；所以當「北大」宣佈要收講義費時，便有數百學生集合示威，湧進教室和辦公室，蔡氏一面說此事應由他單獨負責，一面把袖口捲高，揮舞拳頭說：「有膽的就請站出來與我決鬥，如果你們那個敢碰一碰教員，我就揍他。」這位平常從不疾言厲色的君子，忽然作此獅子吼，倒嚇得學生後退了。由此可知蔡氏雖主張自由、但不縱容學生，他做事有原則，有擔當，絕不從衆行事，更不推卸責任。

民國十年，他到美國遊歷、由羅家倫和幾位同學接到寓所休息，忽然聽見一位美國新任的駐華公使要招待，想請蔡氏介紹於北方權貴，蔡氏坐猶未定，便堅決立刻的離開，眞有當年「孔子去齊，接淅而行，不及炊，避惡亟也」《孟子・萬章》的風範，不能忍受不義之事片刻。他對那時還是行政院長兼外交部長的汪精衛，也曾苦勸他改變親日的行爲，立定嚴正的態度，以推進抗戰的國策，毫不諂媚取悅當道。

臨危不亂，公而忘私

蔡氏雖是一介書生，但處事一向冷靜，頗有「臨危不亂」的定力。當他還在家中唸書時，一次家中有場小火災，家人都急呼他下樓逃命，但蔡氏仍讀書自若，舉止安詳。他卅六歲時，已加入秘密革命之團體——中國教育會。並爲〈蘇報〉寫社論，鼓吹革命，後清廷查封「蘇報」時，蔡氏先因其兄及友所勸赴青島而不致被捕，但他一回到上海，便不避本身亦列入黑名單中的危險，入獄探問章太炎、鄒容二人。後來鄒容死於獄中，蔡氏密集同志爲營葬，更見其重朋友之義，肝膽照人。

蘇報案發生後，革命志士多東渡日本或遠赴海外，唯有蔡氏竟逃至北京往訪好友劉焜，更在譯學館中補其缺，成爲頗受學生愛戴的德文老師，足見他的膽識過人。但他在避禍之際，猶不肯改姓，他在爲麥鼎華序《倫理學》時，謂「四書五經，不合教科書體裁」，適爲張之洞所見而大表不滿，商務印書館怕出版時有問題，商請蔡氏改署他名，他才肯在翻譯包爾生《倫理學原理》，及編著《中國倫理學史》時，改用「蔡振」一名。（假其妻黃世振女士之名而來。）

蔡氏一生更是熱心責任，公而忘私。他三十六歲那年，爲了替「愛國學社」的學生籌措伙食費，要從上海去南京，當他正要上船時，家人趕至通知其長子病危，但他仍強忍悲痛啓程，只托吳稚暉等好友代爲辦理兒子後事，眞是以大義爲重。民國九年底，教育部派蔡氏赴歐美考察教育，但在法國時傳來續配黃夫人去世的消息，蔡氏還是忍淚履行其公務，至英交涉退還庚子賠款，再一次證明他的公而忘私。其實蔡氏與黃氏一段姻緣，曾是非常特別的，伉儷情深，自不在話下。原來在蔡氏元配去世後，許多人爲蔡氏熱心說媒介紹，蔡氏開出的條件是，女方是不纏足的，也識字的；但也應允，男方不娶妾，女方於夫死後可再嫁，男女意見不合時可離婚，好不容易才訪得黃世振（仲玉）女士。行婚禮時，不循浙江風俗掛「三星畫軸」，而以一紅幛子綴「孔子」兩大字，於午後開演說會，以代鬧房，可見一段姻緣，亦開時代新風氣。

仁者胸懷，平恕精神

蔡氏之父名光普，爲錢莊經理而爲人長厚，遇有借貸者均不忍拒絕或索還，至死後，幾無積蓄，兄弟數人，幸賴母親周氏克勤克儉以長養。由於傳家忠厚，所以蔡氏爲人既厚道而不苟且。他平日最不喜坐轎，以爲不合人道精神，所過的生活，極其平民化。在他眼中，個個是好人，所以最反對種族歧視或仇殺異己之事。當年張園演說時，本合革命與排滿爲一談，鄒容的《革命軍》一書，更持「殺盡胡人」的見解，但蔡氏不甚贊同，曾於《蘇報》中發表〈釋仇滿〉一文，以爲「苟滿人自覺，能放棄其特權，則漢人決無殺盡滿人的必要。」眞是先知先覺之言，也可說是辛亥革命後，輿論主五族共和的先聲。

在「五四學生」運動發生的當天早上，北大學生群情激憤要出發去遊行示威，蔡氏曾含淚苦勸學生強忍一時之氣，以免造成不幸，可惜憤激的學生，已不能接受婉言相勸，更不能體會長者仁愛的胸懷，以學問救國濟世的苦心。但出事後，還是得仰賴蔡氏出力奔走營救。民國十六年，蔡氏擔任國民黨清黨委員會的委員。當時多數委員主張採用嚴厲手段，凡是涉嫌的人，抓到便殺，但他卻力排衆議，不肯馬虎。他堅持必須調查清楚才可逮人；要審問清楚，才可判決；更要全體會議決定，方可執行死刑，由此可見蔡氏處事，絕不因一時憤激而失去理性和平恕的精神。他參加寧粵和談時，雖然兩方代表爭執激烈，幾致動武，蔡氏擔任主席時，總是冷靜沉著，公正超然，維持原則，大抵由於他人格高尚，無慾無私，所以處事能溫和理智，待人寬厚赤誠。

學不厭、教不倦的君子風範

出生於清同治六年浙江紹興的蔡元培，小名阿培，入塾時，加昆弟行通用的「元」字而稱元培，叔父字之曰鶴卿。曾自字仲申，號崔廎。在愛國學社時，自號民友，創辦《警鐘》時，則以為「吾亦一民耳，何謂民友？」乃取《詩經蒸民》「周餘黎民，靡有孑遺」句中二字，而號曰孑民，廣為人知，一直沿用。他在二十歲前，最崇拜宋明儒，思想行為亦頗守舊，但他自幼讀書，遇有疑問，必翻原書，所以也養成他講求證據的理性，自十七歲補諸生後，已懷疑八股文寫作的不合理，漸有獨立之思想見解，後來專治小學、經學、為駢文，且喜古奧文字。自認好奇而淡於祿利，能於鄉會試聯捷（與梁啓超為己丑同年），得翰林庶吉士、補編修，事屬意外。自甲午中日戰爭後，蔡氏始涉獵新學，且學日文，他最佩服譚嗣同，見譚於戊戌政變被殺，乃刺激他從事教育，培養維新人才，後曾擔任紹興中西學堂的監督和南洋公學特班教習，提倡新思想，後加入「同盟會」為上海分會長，所以蔡氏也是開國元勳之一。

「蘇報案」發生後，蔡氏入北京譯學館，並在光緒卅三年，隨駐德公使赴德，後入來比錫大學研究文哲、人類學、文化史等，著《中國倫理學史》、《石頭記索隱》等，前書更爲其代表作，慨嘆中國倫理學自先秦後，因無自然科學爲基礎，無理則學以爲思想言論之規則，且無異國學問相比較，政治與學問相結合，致不脫儒家範圍而進展不大。南京政府成立後，曾任教育總長，提出「軍國民教育、實利主義、公民道德、世界觀、美育」等五項新改革方針，後因反對袁世凱而辭職再度赴德、法，助李石曾組織「華法教育會」，編《哲學大綱》一書，於宗教思想採新觀念，以爲「眞正宗教，不過信仰心，所信仰之對象，隨哲學之進化而改變。」並預言有儀式、有信條之宗教，將來必被淘汰。民國六年，出掌北大，民國十年，受命籌設中央研究院，他一生工作多與教育有關。七十歲後，身體漸弱。「八一三」上海戰役爆發，先任國際宣傳委員會會長，後移居香港養病，終因胃瘤出血去世，舉殯時，港九之學校商店均懸半旗致哀，可見一代哲人，春風化雨，遠披海隅。

蔡氏一生學不厭、教不倦，平日樂道人之善而好言己之短，與人爭辯亦據理而言，爲人溫良恭儉讓而臨大節不可奪，吳稚暉說他律己甚嚴而待人放縱，胡適之說他一生是個有所不爲的狷者，他的「無我、無功、無名」的清高風範和對教育界所作的貢獻，眞是民國以來最偉大的教育家！

死因成謎的國學大師——王國維

民國十六年的六月二日，北京頤和園的昆明湖畔，人跡漸杳的時刻，一個仍留長辮穿長袍的身影，在幾度徘徊，一聲長嘆後，縱身躍入湖中。這一躍爲當時北平以及全國學術界帶來無比的震驚，因爲死者是清華研究院的教授，也是素被學術界景仰的奇才——王國維。

自沈昆明湖，學術界議論紛紛

王氏對自己的死因並無清楚的交代，只有一封簡單的遺書留給兒子：「五十之年，祇欠一死。經此世變，義無再辱。我死後，當草草棺殮，即行藁葬於清華塋地。……」可以說死因成謎。但王氏的自沈，被公認爲人間悲劇，所以不只當時學術界議論紛紛，甚至開放大陸探親後，也有人專誠走訪王氏的舊居，希望能找到更多的證據，解釋他不得不死的原因。

喜歡談歷史的人，以爲王氏在政治立場上屬於「復辟派」，對滿清有餘情，以遺老自居。民國十三年到北平，仍任職清宮南書房，爲溥儀賞食五品俸，賜紫禁城騎馬命檢昭陽殿書籍，鑒定內府所藏古彝器，雖後來任教清華，仍與清遜帝有聯繫。當十六年國民革命軍北伐至山東河南時，平津一帶，人心不免浮動，而又傳出軍閥將入京挾遜帝自重，逮捕相關人等，所以使不少遺老有「山雨欲來風滿樓」之感。王氏既自感爲籠中鳥、網中魚，不如一死，以免受辱，這種以歷史背景解釋其死因之說，頗爲盛行。

王氏後人，對其父之死，又另有補充說明，扯出個人恩怨，據王氏女兒爲文曾指出與王家關係密切的羅振玉，與王氏之死有關。按羅氏爲浙江上虞人，生於清同治五年，死於民國二十九年，是我國繼劉鶚後的甲骨學先驅，對殷墟書契、金石文字之研究造詣頗深，與日人交往亦密切。光緒廿四年，他在上海成立「東文學社」，王氏適在「時務報館」任書記校讎，乃加入東文學社學新學，羅氏看見他在同學扇上所題的詠史絕句而大加賞識，所以免其學費，使其專心向學，王氏乃得從日本文學士藤田豐八、田岡佐代治二人習哲學、數學、英文等。庚子之役後，更得羅氏資助游學日本，後來又被羅氏聘到江蘇師範學校講課。光緒三十四年，羅氏更攜之入京任「學部總務司行走」及京師大學堂教習，得以專治中國詞曲。革命軍興、王氏又隨羅氏攜家東渡日本、專力經史，可見羅氏對王氏有提攜之恩。後兩家更結爲兒女親家，往來密切。但其時嫁入王家的羅氏女兒，卻鬧情緒而逕回娘家，引致羅氏來書指責王家，並牽涉一些金錢糾紛，使王氏頗感人情冷暖，有心灰意冷之感而萌輕生之念。

這些說法，固然多少可幫助我們了解王氏死前的環境和心境，但作爲王氏知交的陳寅恪（史學家）的話，更值得我們重視，他在〈王觀堂先生輓詞〉的序言中說：

「凡一種文化值衰落之時，爲此文化所化之人，必感苦痛，其表現此文化之程量愈宏，則其所受之苦痛亦愈甚；迨既達極深之度，殆非出於自殺無以求一己之心安而義盡也。……今日之赤縣神州，值數千年未有之鉅劫奇變；劫竟變窮，則此文化精神所凝聚之人，安得不與之共命而同盡，此觀堂先生所以不得不死，遂爲天下後世所極哀而深惜者也！」他在輓詞中又說：

「漢家之阨今十世，不見中興傷老至，一死從容殉大倫、千秋悵望悲遺志。……齊州禍亂何時歇，今日吾儕皆苟活，但就賢愚判死生，未應修短論優劣！」由此可見，陳氏對王氏之死，「於我心有感感焉」。他也感受到王氏對世局人心昏亂的無力感，也了解知識分子對精神文明淪喪的大痛大悲，甚至因理想與現實衝突，不得實踐所願而嚴重自責，最後唯借一死以解脫痛苦，所以對王氏之死，除了深感惋惜後，更有同情與敬意。「經此世變，義無再辱」，大抵王氏認爲自己所感受的痛苦，難與俗人言，乾脆從此閉口，對自己的死因不願多強聒人耳！

深受叔本華哲學思想影響

如果我們能細心體會傳統士人憂國憂時的情懷，也許對王氏之死不致感到如此費解。從屈原的目睹故國淪亡而沉江自盡，陸秀夫攜幼主跳海殉國，以至戊戌政變中，譚嗣同的寧死以堅理想，革命志士陳天華的以死激勵國人，可見自古以來，憂時傷國之士，以死解脫不能改變現實之苦者實屢見不鮮。滿清中葉後，世變之劇，確使有心人觸目驚心，比如清代中興名將胡林翼，能保舉曾國藩而不存私心，妥爲維護以免朝廷疑心，是當世胸襟度量過人者，但他在平了太平天國後，看見西洋火輪溯長江而上，外人勢力入侵愈甚，中國如何能抵抗，不禁深爲神州故土存亡擔憂而致吐血身亡。胡林翼既有「先天下之憂而憂」的沉痛，而面對中國文化精神的日趨解體，有心人如王氏者，更不免對此身所繫的中國文化有深切的危機感，更有「無力可回天」的無助感而頓覺絕望失落！

若從王氏的《人間詞話》中對李後主詞的極力推崇，多少更可看出王氏對承擔痛苦的責任感的強烈。客觀來說，身爲亡國之君，除了極少數能如劉後主阿斗的裝瘋賣傻，自道：「此中樂，樂不思蜀」外，回首前塵，俱不免如李後主的「日中唯以眼淚洗面」，而爲何王氏獨對被蘇軾譏爲亡國之際，猶只知「揮淚對宮娥」的李後主情有獨鍾，而特別強調：「後主之詞，眞可謂以血書者也。」，「然道君（按宋徽宗）不過自道身世之戚，後主則儼有釋迦、基督擔荷人類衆惡之意，其大小固不同矣。」王氏之偏愛李後主，正因後主在國土淪亡之後，不委過他人，而只自責「幾曾識干戈？」將一切痛苦自行承擔之故，由此可證王氏對文化淪亡之痛，亦有天下責任一肩挑的傾向。

王氏又是一個深受叔本華哲學思想影響的人，而叔本華學說帶著極強烈的悲劇精神的論調。他曾指出人生有一種不可避免的悲劇，即是由於其中人物之位置及關係而不得不然者，既是命定、即不可避免。王氏受此說影響，在研究《紅樓夢》時，便指出形成寶玉、黛玉的悲劇，「豈有蛇蝎之人物，非常之變故行於其間哉！不過通常之道德，通常之人情，通常之境遇爲之而已」，比如賈母王夫人偏愛寶釵的溫順大方而嫌黛玉孤辟，又信金玉邪說而思壓寶玉之病，故以愛寶玉之心而錯將兒女癡情拆散致釀成悲劇，本無惡意在內，寶、黛只有默默承擔此悲劇之苦痛。這種悲劇的命運是人無法抵抗的，因為一切都合情合理。如今命運播弄他生於舊文化解體之際，王氏以為自己既無力挽狂瀾，又不忍見其淪沒，不如先行一死，以免「生活之無所逃於苦痛，而求入於無生之域」。

王氏在《紅樓夢評論》中又指出：「解脫之道，存於出世，而不存於自殺。出世者，拒絕一切生活之欲者也。彼知生活之無所逃於苦痛，而求入於無生之域，當其終也，軀幹雖存，固已形如槁木而心如死灰矣。若生活之欲如故，但不滿於現在之生活，而求主張於異日，則死於此者，因不得不復生於彼，而苦海之流，又將與生活之欲而無窮。」若據此說，自殺並非唯一解脫之道，何以王氏竟尋短見？實因王氏存有保存中國文化精神而加以發揚光大之「大欲」之故。這種大欲是高尚而沉痛的，所以王氏的自殺不同於《紅樓夢》中的金釧、司棋、尤三姐、潘又安等人因為「無力解脫」而淪於毀滅，乃是基於如鴛鴦之有「不得已之境遇」。

總之，王氏之死，正由於性格上有強烈的完美要求的傾向，精神上有無法解脫之徬徨與苦痛，現實與理想間矛盾對立而不得圓融之故。梁啓超曾指出王氏的頭腦亦知朝流大勢所趨，但外表卻古貌古飾（不肯剪辮），不肯順應潮流，可見他內外不一致的痛苦，必倍於常人，若再受時局變遷或瑣事不如意的影響，則悲觀失望之情更難以自拔，而不得不求徹底的解決！

治西洋哲學第一人，提出文學新觀點

生於清光緒三年的王國維，字靜安，號觀堂（又曾用伯隅、永觀、靜菴等號），是浙江海寧人，雖幼年體弱，但家道殷實，可以專心讀書，文名亦早噪於鄉里。十六歲曾補博士弟子員，但以後喜讀四史，不重舉子之業，所以未中鄉舉。甲午之役後，因心慕西學而至上海，加入羅振玉的「東文學社」，得以初讀康德、叔本華的哲學，奠下日後自學的基礎。雖然他後來的專業和貢獻不是以哲學為主，但他是西洋哲學剛傳入中國時，即著手研究的人，且是國人中第一個研究叔本華，並以叔本華哲學為立足點去批判《紅樓夢》的學者。哲學的訓練，使他治學擁有博通的觀念。以後「雖好從事於箇別問題，為窄而深的研究，而常能從一問題與問題之關係上，見出最適當之理，絕無支離破碎專己守殘之蔽。」（梁啓超：〈王靜安先生紀念號序文〉）。

庚子役後，他到北京，專治宋元以來通俗文學，便能取外來觀念與固有材料作證，而寫成《紅樓夢評論》、《宋元戲曲考》等劃時代的專著。梁啓超便認為他的創治「宋元戲曲史」，蒐述「曲錄」，使樂劇成為專門之學，斯二者實空前絕業，後人雖有補苴附益，度終無以度越其範圍。

他的《人間詞話》雖篇幅不多，卻是古今同類作品中的佼佼者，文字更精彩動人，因為他能以哲學的通識、史學眼光為先導，創立標準，持以評論而成一家之言，比如談及文學演變之理，曾提出一全面性的認知觀點：「文體通行既久，染指遂多，自成習套，豪傑之士亦難於其中自出新意，故遁而作他體以自解脫，一切文體始盛中衰者，皆由於此。」他曾批評過去嚴滄浪以「興趣」，王漁洋以「神韻」評詩之高低，皆不如他所拈出的「境界」二字為探其本，而「能寫眞景物、眞感情者謂之有境界，否則謂之無境界。」，「大家之作，其言情也必沁人心脾，其寫景也必豁人耳目，其辭脫口而出，無矯揉妝作之態，以其所見者眞，所知者深也。詩詞皆然，持此以衡古今之作者，可無大誤矣。」所論鑑賞文學之道，的確發前人所未及。他更提高元曲的地位說：「古今之大文學，無不以自然勝，而莫著於元曲。蓋元戲作者，其人均非有名位學問也？……彼但摹寫胸中之感想與時代之情狀，而眞摯之理，秀傑之氣，時流露其間，故謂元曲爲中國最自然之文學，無不可也。」

甲骨文「四堂」並稱，治史開創新局

王氏的另一絕學是甲骨文。出土於光緒二十四、五年的甲骨文，是目前所知的我國最古老的文字。（大陸最近新出土尙未形成一系統學說），但由於深埋在地下，當河南安陽縣小屯村的農民，在地下挖到部分殘骨時，往往把它賣給中藥店整理後視作「龍骨」來用以配藥。後來這些刻在牛骨龜甲上的特殊線條逐漸引起學術界的注意而加以研究，比如《老殘遊記》的作者劉鶚便拓印《鐵雲藏龜》，而王國維治甲骨文能有卓越的成就，是由於他能以今文經學創讀「殷墟書契」，以訂正商周間的史蹟及發現當時社會制度的特點，使古史改觀。他著有考古學及上古史作品如《殷卜辭中所見先公先王考》、《鬼方昆吾玁狁考》等。他的成就與羅振玉、及其後的郭沐若、董作賓號稱「甲骨文四堂」（因他們的字號均有一堂字），備受推崇。

在整理舊籍方面，王氏曾精校《水經注》，於清儒戴震、趙一清、全祖望外別有發明。他校注蒙古史，又能取外族之故書與我國舊籍互相補正，對漠北及西域史實多有補充見解，寫成金元史事及邊疆地理之作，如《萌古考》，及《元朝祕史之主因亦兒堅考》等。蒐集資料，少有遺漏，所以新說一出，或有人不以爲然，但反覆推勘而不能動其說，可見他考據之精，爲學界開新軌則。

從弘大處立腳，從精微處著力

梁任公曾指出王氏治學成功的原因在：「從弘大處立腳，而從精微處著力，具有科學的天才，而以極嚴正之學者的道德貫注而運用之。」他更推許王氏「每治一業，恒以極忠實，極謹愼之態度行之，有絲毫不自信，則不以著諸竹帛，有一語爲前人所嘗道者，輒棄去，懼蹈剽說之嫌以自點污。」可見王氏治學一絲不苟，更要求有自我見解，亦由此可見他個性中有強烈的求全責備的傾向。他又說過：「生百政治家，不如生一大文學家。」「惟文學家能與國民精神上之慰藉，而國民之所恃以爲生命者，若政治家之遺澤，決不能如此廣且遠也。」可見他對文學家的強烈使命感！

王國維一生，自學成功，成就多方。不管詩、詞、曲、經史、古文字、古器物之學、文學史及文學批評，均有獨到的成就。他治學的廣博，識解的瑩澈，方法的謹嚴，文辭的精潔，可謂一人而具數美，是百年難得一見的人才，投水而死，天才短命，誠使人可嘆復可悲！

曠世奇才的苦行僧——李叔同

弘一大師堅持「過午不食」的戒律，過著極清淡刻苦的日子，一套被褥是補了又補、一條洗面巾是破得不能再破，但爲了避免殺生，他坐上木板床前，必輕抖一下趕走蚊子，他用水前，也先以紗網過濾一下，以免溺死小蟲……

「送別」一曲，膾炙人口。

「長亭外，古道邊，芳草碧連天，晚風拂柳笛聲殘，夕陽山外山，天之涯，地之角，知交半零落，一壺濁酒盡餘歡，今宵別夢寒……」這送別一曲，哀怨悅耳，眞使鐵石人爲之感動。還有像「春遊」、「憶兒時」、「早秋」、「驪歌」等許多首雅俗共賞的曲子，原作者以息霜爲筆名，也就是李叔同，後來的弘一大師所作。當年風靡大南北的翩翩俗世佳公子，一位音樂、繪畫、詩歌、戲劇、金石都有成就的奇才，爲什麼中年以後竟成爲一位苦行僧，說來眞是令人難以置信。

彷如寶玉再世的生平

李叔同誕生時，雖然沒有像寶玉的含著塊玉來到人間，可也有喜鵲啣松枝飛入產房的喜兆，令闔府稱奇。李家亦宦亦商，是大戶人家。主人李筱樓雖然已有二子，但長子早夭，次子文熙先天不足，晚年再添貴子，自欣喜非常，取名為文濤，但四年後，老人便辭世，由於篤信佛教，所以是在高僧誦經下安詳的逝去，使四歲的小兒子，留下深刻的印象，童年時的李文濤，就不只一次的裝著披袈裟為和尚，作為遊戲，也許佛教的種子，已種在心中。

兄長對他的管教是相當嚴厲的。李叔同受了他哥哥五年的啓蒙教育，和五年塾師授業，死攻了五年的經史子集，是他所接受的全部正統教育，但天性不羈的他，實際什麼都去接觸，除了儒家的典籍外，佛家的經論、書法上的鍾王曹魏、文學上的唐詩宋詞、文字上的說文訓詁，甚至坊間流行的管笛、評詞、皮簧，他都來者不拒。也許是由於感受到一個大家族對庶子的壓力和對兄長管教權威的反抗，他只好躲到詩詞創作，和金石雕刻中去排遣孤寂。為了孝順母親，十八歲那年他依從母親的意思娶了俞夫人，婚後一年，便偕同母妻離開天津老家，搬到風氣開通的上海，加入「城南文社」，標榜「南海康梁是吾師」，以示對舊政的抗議，並展開他的文學活動。從此周旋在美人、名士、文壇、香槅之間，直到長子出生，才驚覺自己已成老少年，乃改用「李成蹊」（一說用李廣平）為名，進入「南洋公學」正式讀書，並以瘦桐為號。雖然有名妓李蘋香、謝秋雲為他傾倒，但他也體會害對方用情的結果，往往會造成悲劇，所以有「悔煞歡場色相空」之嘆。寡母抑鬱成病的去世，更使他椎心泣血；看破人間的情愛，更名李哀，字惜霜。那年他才二十六歲，決定到日本，入東京「上野美術專門學校」學畫，他又改名爲李岸，字叔同。（這是最廣爲人知的名字），安靜嚴肅開始了他的學畫生涯，也愛上了鋼琴、戲劇。可以說沒有「上野」五年的學習，也可能沒有三十年的李叔同的藝術成就，這是他藝術生命更上層樓的時刻。

爲了體驗眞正的藝術，他決定試做日本人，一切生活日本化。爲了聘請模特兒寫生，他結識了一生中與他關係最密切的女性——日籍的誠子，由於誠子是學音樂的，兩人的心靈易於溝通，終生情愫。他與高劍父是藝術學院的同窗，也結識了歐陽予倩、馬絳士等留日的學生。當李叔同有演戲的衝動時，便和曾孝谷組織「春柳劇社」，排演「茶花女」、「孤星淚」等世界名著，使中國戲劇運動，從此萌芽，影響上海「春陽劇社」的成立。當時他們以爲兩淮水災急籌賑款而義演，也是留日學生愛國運動的表現。此外，李叔同又創辦音樂雜誌，寄到上海發行，他有心祖國文化事業的改革，希望藝術能給中國帶來新機運。

辛亥革命前一年李叔同學成後，帶著誠子一起回到上海，再回天津探親家人，他二哥把「天津工業專門學堂」的聘書交給他，李叔同的教學生涯從此開始。由於天津鹽業的不景氣，也拖垮了李家的錢莊生意，從來視金錢如糞土的李叔同，更感到財富不可靠而認定藝術創作，才能創造不朽的生命，而使他面臨更莊嚴、更刻苦的人生。民國成立後一年，李叔同又到上海，展開文藝活動。任《太平洋報》的藝術編輯，與蘇曼殊、柳亞子等同事，組織「文美會」，編《文美雜誌》。後來由於報社關門，文化人星散，李叔同乃進入杭州的「浙江兩級師範」，任教音樂、西畫，他出家的因緣，便在杭州成熟，從此展開與前半生截然不同的生涯。

從李叔同的出生備受珍愛，不愁衣食的在脂粉堆中打滾，又有機會盡展藝術才華，風流而不下流，不禁使人想到紅樓夢中的賈寶玉，兩人彼此都是性情眞率、不同凡俗，又有極高的天賦和敏銳的心靈。同樣享盡人間風流富貴。最後卻勘破一切，毅然出家，雖然李的歷劫不如賈的鉅大，但假如眞有投胎轉世，恐怕李叔同正是賈寶玉的化身！

萬緣放下，完成自覺的生命

李叔同在杭州三年多，逐漸感受杭州是人間淨土的氣氛。他教書是心慈色厲、學生自然心悅誠服，但和高僧多次論道後，他逐漸覺得世間一切藝術，如沒有宗教的性質都不成爲藝術，自然宗教若沒有藝術的美境，也不成爲宗教。學佛的人，靜坐反觀自性，只靠精神便能打開一個光華的世界，豈是平凡人所能？因此他覺得佛典可以使人產生智慧、製造器識、而做人做得剔透玲瓏時，便是藝術。那時要捨身取義，視死如歸，或視富貴如浮雲，視色相如敝屣，一點也不難。

在杭州六年後，他看到一篇介紹斷食有益健康的報導，也跑到大慈山虎跑寺，試驗斷食二十一天，取號李嬰，由於目睹一位高大魁梧的彭居士決心出家，更使李叔同心有所感。了悟老和尚給了他「弘一演音」的法名，「大慈演音」也成了李叔同未出家前慣用的隱號。本來李叔同最初也僅想當一個在家的居士，但皈依後，更領悟世間除了生命外，還有什麼放不下！雖然在情感上，他自覺虧欠那追隨自己、不計名分的誠子甚深，所以要求得她的諒解。誠子由於李叔同的影響，也對佛學有所參詳，但她對李叔同的依賴和用情卻日深，所以當李叔同告訴她爲全心學佛，普渡群迷，決拋下他藝術上的成就、俗世的產業，至深的親情友情，和難捨的愛情而出家時，誠子自是驚惶傷痛。但由於相知甚深，知道不能勉強，也只好強忍苦痛，給予諒解。

李叔同三十九歲那年，終於正式出家，在離開杭州藝專前，他將金錶、詩詞書法卷軸，貴重的紀念物，全部留給他的知己兼留日的小老弟，也是藝專舍監的夏丏尊，至於音樂、繪畫、戲劇的資料和出家前所積的照片，按學生的興趣，分贈給擅長繪畫的豐子愷，擅長音樂的劉質平，愛好文學的王平陵等人。金石作品，全部埋於「西冷印社」印塚中，油畫作品則贈給北京美術專科學校，他的上乘的衣服、用物、分散給校中工友，尤其經常照顧他的聞玉，然後僅帶著最簡單的行囊，在衆人不捨的嘆息聲中，進了虎跑寺，由了悟上人剃度，法名弘一。

癡心的誠子，在報上看到李叔同出家的消息，曾孤身跑到杭州，希望能見李叔同最後一面，但李叔同怕業力牽絆、斷失佛種，不肯相見，誠子只好黯然離開傷心地返回日本。出家後的李叔同，在受比丘大戒前，更發下大願：第一放下萬緣，一心向佛，不作寺院住持，不披薙出家徒衆。第二戒除一切虛文褥節，不開大座，不作法師，只以簡易方式宣流法音。第三，拒絕一切名利的供養與沽求，粗茶淡飯，鞠躬盡瘁，誓成佛道。第四，誓志創立風範，以戒爲師，令人老實念佛，精嚴戒律。

在大徹大悟的覺捨後，半世風流倜儻，任性而行的李叔同，竟眞成了持戒最嚴的苦行僧。

佛門獅吼，舍利滿光華

弘一大師深信「佛滅道後，以戒爲師。」，不能嚴持戒律，便不能執正瞬息萬變的心，更無高潔的定力與大智慧。在任何一頁戒文上，都有「寧可犧牲生命，誓不……」的字樣，可見佛律的戒文，每一條都有分寸，都有嚴格的規定，錯了一毫，便是犯戒。但當他潛心研究律典時，便發現律本上的文字，不是抽象、含混，便是複雜繁瑣，戒律便因枯寂、艱難而成爲令人卻步的絕學，因此他動念分析「四分律」，傾其全力完成《四分律比丘戒相表記》，使原本染有肺病的身體更形虛弱。

弘一大師更堅持「過午不食」的戒律，過著極清淡刻苦的日子，一套被褥是補了又補、一條洗面巾是破得不能再破，但爲了避免殺生，他坐上木板床前，必輕抖一下趕走蚊子，他用水前，也先以紗網過濾一下，以免溺死小蟲。他的俗家好友雖時常想供奉他些衣物，他總是推辭。遇到新知舊雨，殷切探視，他覺得無以爲報時，便抄一段佛經相贈，以求普渡有緣人，但對地方官員的刻意造訪或苦心托求墨寶，他卻一律嚴加竣拒，毫不應酬情面。

由於生活簡陋和缺乏營養，弘一大師曾多次得惡性赤痢、傷寒等病，幾瀕於死，但他憑著念佛拜佛，竟然自動痊癒。他只要身體稍可，便全心著律寫經，甚至以刺血落筆，重法輕身，難續慧命，所以當時的高僧印光和尚也不停的勸他不可急躁猛進，以免血虧神弱。由於弘一大師隨時準備爲佛犧牲的赤誠，終於感動印光，而准其列入門下。追隨印光後，弘一大師印證了一代聖僧，絕對是嚴守戒律的，所以他更能放下一切物質觀念，使生活境界一片空靈明淨。

在出家修行後，他唯一一次過問俗事，也是爲護佛法而挺身而出。民國十六年，國民黨有清黨之議，而基督將軍馮玉祥的見廟便拆，見佛像便毀的激烈行動，也使得江浙兩地瀰漫一股消滅佛教的議論。所以弘一大師邀請地方政要到杭州城內吳山常寂光寺一起集會。他把事前寫好的短簡，分送來賓，婉言微語，請他們不要再迫害佛教，他強調歷史上毀滅佛法的暴君，沒有一個能活十年，而毀滅一種宗教，等於毀滅人類中崇高的靈性，他的短簡使闢佛論者，汗流浹背，倉皇離席。弘一大師更上書教育界人士，包括他的老師蔡元培、老友馬夷初、經子淵等，懇請他們對佛教多加了解，並推薦名僧太虛、弘傘二位法師加入佛教整頓委員會，以便實行良性的改革，由於他的努力奔走，風波漸趨平靜，可說成就挽救佛教的功德。

民國十七年，他本想去暹邏弘揚佛法的，但船經廈門，掛單南普陀寺後，他被懇請留下，自此以後，他的雲遊生涯不斷，但每到一處，不斷的講律、編書，爲寺中整理藏經，所以健康日衰。他六十三歲那年，回泉州掛錫百原寺，移居「溫陵養老院」，最後一次講經。九月一日寫「悲欣交集」四字給侍侶妙蓮法師。九月初四下午八時，右脇而臥，安詳圓寂於「晚晴室」，遺囑由妙蓮法師執行。

當弘一大師圓寂後七天，遺體火化約一小時而盡，其間異采從竈門射出，在百天內，在骨灰中陸續撿出一千八百粒舍利子，各種顏色俱備，正代表一代奇僧，眞正成佛了。但在圓寂前，他似有預感，分函向好友辭別。他留交夏丏尊的偈語：「君子之交，其淡如水，執象而求，咫尺千里，問余何適？廓爾忘言；華枝春滿，天心月圓。」寥寥數語，道盡交情，也正好代表他的見佛證果！

豪華落盡見真淳

李叔同一生，正如他勉勵弟子豐子愷說的「必須讓自己鑄造成一種東西，不達目的，除死，不要終止。」因此，他在各項藝術上都有極高的成就，比如他的西畫，是結合中國敦煌的壁畫、趙子昂畫馬的筆墨、八大山人的寫意和潑辣的西洋油畫而自成一格。他的日文和英文造詣很深，但他卻告誡學生「士之致遠者，常先器識而後文藝」，沒有人品的藝術家，作品也沒有生命的，可見他又是一個儒家的眞正傳道者。出家後，他雖然放棄一切藝術上的成就，但是他的書法，卻因寫經而繼續不斷，他的書法以張猛龍爲主，但逐漸到達棄絕人間煙火的味道，看似平淡而韻味無窮。

他在佛學上最大的貢獻是花了四年時間寫成《比丘戒相表記》。這表記一是根據《南山行事鈔》疏解爲「表」，二是採用「靈芝」、「見月」大師的注解，三是弘一大師自己的案語，四是恭敬虔誠一分不苟的楷書，五是從頭到尾「持、開」分明。這部獨步千古的佛學創作，已被收入中國的《大藏經》，而弘公也宣稱「我身後不必建塔，做功德，只要此書得以流傳，我願已得。」，可見他對這書的重視。

俗世時的李叔同，固以多姿多采的生活、過人的天份、能言善道吸引人，而出家後的弘一大師，卻謙虛荏弱，言語簡單，幾近無趣，但本身的神態安詳，自散發一股令人景仰，自慚形穢的力量，接近他的人，都會受到無形的感召而生學佛之心。雖然他的出家，許多人還是難以接受，殊不知他希望有情無情，同圓種智，不得不自本身割捨一切，由於藝術家的敏感心靈，使他不斷去探究人生的究竟，所以由浪漫氣息轉為嚴格持律的精神。他的前半生表現了人類的藝術生命，後半生展現了人類的莊嚴生命，所以他不是一個普通的藝術家或出家人，而是一個令人「無能名焉」的奇士！

「和而不流，強哉矯」的知識分子——胡適

適之先生一生捍衛理性、科學、文明、自由、民主和人權，與各種非理性、僞科學、反文化、極權主義風潮搏鬥，眞是個「和而不流，強哉矯」的知識分子。

中國文藝復興的推動者

今天雖然有部分文人學者，仍偏愛寫詩詞和古文，但白話文普遍風行的力量，是任何人都不能否定的。而談到白話文的興起，不得不歸功民國初年，好些提倡白話文的大師，尤其是廣爲人熟知的胡適之先生。

胡適在留學美國期間，逐漸領悟中國文學不是一成不變的，所以在民國五年七、八月間就決定不再寫舊詩詞，而專門用活的語言文字來寫白話詩，並把詩集定名爲《嘗試集》。在同年十一月間發表〈文學改良芻議〉，提出有名的「八不主義」，即㈠須言之有物，㈡不摹倣古人，㈢須講求文法，㈣不作無病呻吟，㈤務去爛調套語，㈥不用典，㈦不講對仗，㈧不避俗字俗語。這篇文章，在陳獨秀主編的《新青年》上刊出，引起國內極大的回響，留美同學中的趙元任、楊杏佛等人也逐漸贊同支持。

後來胡適回國任教北京大學，受聘爲教育部的「國語統一籌備會」的委員，寫了〈建設的文學革命論〉，主張以國語直接寫文學，提出「國語的文學，文學的國語」兩句口號，而「新文化運動」（胡適寧可稱爲「中國文藝復興運動」），更由於民國八年的「五四運動」而轉變成一項政治運動，風起雲湧，遍及全國。民國九年，教育部便通令全國小學第一、二年級的教材全用白話文，連胡適本人也很驚訝這運動的很快見到成效，他以爲那是由於當時反對派的實力太弱，提不出有力的證據反駁主張白話文運動者，而中國語體文本身，更是偉大而文法簡捷的語文，易於教授和學習，所以能迅速形成新風氣。

按照胡適的理想，中國的文藝復興運動有四重意義，即（一）重新估定一切價值，（二）輸入新理論，新觀念和新學說，（三）有系統的整理國故，（四）再造文明。但這運動受到「五四」學生運動的推波助瀾，雖加速了白話文的應用，新文學的誕生，但也對中國的政治、知識和社會各方面都發生多種衝擊，而「五四運動」以後的改革者，對傳統多加輕視，對新觀念、新學說又過於深信不疑，對困難複雜的問題、缺乏耐性與毅力加以解決，所以不能達到巨大的文化和社會變革至理想的效果，反而引起一連串的問題，但這些演變和流弊，不能責怪胡適是「始作俑者」，胡適一向堅信「要救國，應該從思想學問下手」（致徐志摩信），從他回國後，便打定主意「在思想文藝上替中國政治建築一個革新的基礎。」他的「新思潮主義」與激進主義的全盤否定或拋棄傳統的做法迥然不同，新文化運動的未竟全功，是胡適的遺憾，也是中國的不幸。

綜觀胡適一生的主張常被人視爲迂緩，而他的奮鬥，更是孤獨的，由於他堅持理性，所以在二十年代，他警醒國人要認清事實，「努力做個不惑的人」。三十年代，他不依傍任何黨派，不迷信任何成見，以負責任的態度發表〈獨立評論〉。四、五十年代，他奮力追求言論自由和反對黨的生存權利，始終以一個自由知識分子的獨立人格同整個渾沌、暴亂，和急躁的時代環境和風氣抗衡，眞不愧是「當代第一人」（唐德剛語）！

從舊式倫理中蘊育出新潮思想

這位新思潮、新風氣的締造者，他的出身是極其傳統的。他在家的名字叫嗣糜，又名洪騂，後來參加留美考試時，才改名叫胡適，字適之。他是安徽績溪人。他的父親胡傳，字鐵花，治學謹嚴，受吳大澂的賞識，曾到臺灣任知州和統領，他的母親馮順弟是繼室，胡父死時，胡適才三歲零八個月，孤兒寡婦在大家族中的日子，自然不大好過，但胡母非常注重胡適的教育，可以節衣縮食、送兒子往外地讀書而強忍思子之情，眞是一位堅毅刻苦的傳統女性，他們母子的情況，令人想及歷史上的孔子、歐陽修，甚至 蔣公母子都有一段非常艱苦的時光。

在李敖所稱的「被擰肉的時代」中，由於胡母的督促，胡適在家鄉私塾中雖是年紀最小的學生，也是最用功的一個，胡母嚴格的教養，也造就了一個正心誠意、不欺暗室的眞君子。至於胡適的婚姻，也是由母親作主，在十三歲便訂了江冬秀那門親事，胡夫人是個不識字的纏足女子，胡適雖感遺憾，但夫婦卻能白首偕老，胡適甚至戲稱中國如有「懼內會」，他必定是首任會長。可見胡適雖飽受西方教育，骨子裡仍重傳統倫理，是個孝子、良人、慈父、賢師、益友，更是一位有風骨的讀書人！

胡適在十一、二歲時受到司馬光、范縝二人的著作影響，便擺脫家族的宗教信仰成爲一個無鬼神論者，同時他也偏愛《老子》和《墨子》。在十四歲時，他到上海的中國公學唸書，接受新學，在臥病期間，曾沈迷於舊詩詞，特別喜愛陶淵明和杜甫，自己也嘗試創作，但他漸漸不服氣有時得犧牲詩義來遷就詩韻，伏下他日後主張白話文的傾向。民國前三年，胡適考取庚子賠款的第二屆公費留美的名額，爲了節省公費養家，於是進入康乃爾大學的農學院，唸了一年半後，因感興趣不符而轉習文科，畢業後更進入哥倫比亞大學從杜威習哲學、教育。因此胡適曾自謂「哲學是他的職業、歷史是他的訓練、文學是他的娛樂」，而赫胥黎和杜威，是對胡適有終身影響的外國學者。但使胡適改行的另一原因，也是由於辛亥革命的成功，中國政治起了變革，而在他留學期間，曾目睹兩次美國大選，對美國政制的研究，也加深他對中國政治和政府的關心，在那段期間中，日本對中國的迫害，也引起留學生的關切，胡適也經常演講中國運動，但當日本威脅我國接受「二十一條密約」時，胡適卻發表國人不可失去理性的呼籲，可見他一直堅持「和平主義」，對國際和平運動十分熱心，因此在抗日戰爭前，他的言論，也被人誤解，而被罵爲「秦檜」，但胡適是體認到抗日戰爭，中國必須付出慘痛代價，所以也有「犧牲未到最後關頭，絕不輕言犧牲」的體認而主張不能躁進。

有關胡適博士學位的取得，也曾成爲許多人議論紛紛的話題，據唐德剛譯註《胡適口述自傳》考證的結果，因爲胡適的博士論文，是談中國哲學，當時主考教授，對此不甚了然，所以在「防衛口試」(defense Oral)時，給「大修通過」的評定，即要修改論文，再回校補考，所以胡適回國時，尚未取得正式學位。兩年後，杜威來華講學，才知胡適的《中國哲學史大綱》在學術界所造成的震撼，才另眼相看，而胡適在論文付印後，民國十六年，親返母校，始正式得到學位。

由於西學的影響，胡適養成以批判法則治學的精神，他用歸納法考訂古文字眞義，曾發表〈詩三百篇言字解〉等等，更提出「校勘」和「訓詁學」的重要，世界著名大學贈與榮譽博士學位的計有三十五個，重要著作尙有《戴東原的哲學》、《白話文學史》、《胡適文存》等。他的治學興趣十分廣泛，從整理國故到研究禪宗慧能的弟子神會和尙，從研究舊小說到催成「紅學」的產生，胡適眞是廣開風氣，在諸多文化領域中留下的著述都是前無古人的。他雖說「大膽假設，小心求證」，但下的全是縝密的工夫，雖是一篇演講稿，也修改再三。很多人認爲胡適是反傳統的，但他不承認自己是「反孔非儒」的。他對孔、孟還是尊敬的，他所批判的是後來扭曲發展的儒教。他認爲孔子比老子是更積極的儒，孔子主張仁—修己以安仁、修己以安百姓，便是一位偉大的民主改革家，更是世界上最偉大的教育家之一。他更認爲朱熹是一位科學家，對古代典籍深具批判能力，也是研究古音韻的急先鋒，朱子的治學精神深深影響近三百年的學術研究（參看《胡適口述自傳》）。從胡適治學的成就，可以窺得舊學基礎和西學訓練在他身上融會發出光芒。

出處進退，有為有守

胡適對政治雖然有熱忱，有理想，也有勇氣發表議論，但卻沒有參加實際政治工作的興趣。他與陳獨秀雖因提倡白話文而過從甚密，但胡適卻主張「二十年不談政治、不幹政治」，提議「多研究問題、少談些主義」，因此引出胡適和馬克斯主義者的衝突和後來共產黨對他的思想鬥爭，也可見後來他雖支持雷震而不肯出任新黨首領的原因。胡適在抗日戰爭期間，卻因身感國家的需要和　蔣公的固請而出任駐美大使四年，到處奔波演講中國的立場，並使美方答應對我援助，自有貢獻。他在三十五年六月回國，就任北大校長。當國共徐蚌會戰最激烈的時刻，當局請他出任行政院長，他雖然推辭，但表示「在國家最危難的時候，我一定和蔣先生站在一起。」可見他的熱心愛國。

三十七年三月，胡適當選為中央研究院院士。同年十二月，北方局勢已十分危急，　蔣公指令迅速接運胡適和部分教育界人士到南京。當最後一班飛機飛回南京時，機上還有兩個空位而胡適的公子思杜卻未隨同出來，胡適解釋說他們夫婦已佔去兩個座位，斷不應讓思杜再佔一個，而使要走的同人失去這難得的機位。胡適臨難之際，不肯佔別人的便宜，卻讓自己兒子身陷大陸，從此天各一方、遺憾以終，可見他做人做事的公私分明，見利思義。大陸變色後，他曾任美國普林斯頓大學圖書館研究員和東方圖書館主持人，是他一生最投閒置散的一個階段，但出處進退，仍堅守原則，所以婉拒匹茲堡大學的講座，對許多流亡美國的政治人物，（如吳國楨之流），曾不客氣責備他們不該在國外作不負責任的批評，以免親痛仇快。

四十六年，胡適回臺接任中央研究院院長，擬就國家發展科學的五年計劃。五十一年二月二十四日下午，在歡迎中研院新院士酒會結束時，因心臟病猝發去世，年七十一。他死後，大家整理遺物才知道他只有一件新襯衫、一隻好襪子、剩下大堆補過的襪子和大半有破洞的襯衫，名滿中外的學者，身後蕭條，幾與當年范仲淹的無以爲殮類似，可見他在離開駐美大使任內只有二千美元的說法，也絕對可信。他厚以待人，薄以待己，難怪深受師友稱頌不已！公祭時，更是販夫走卒，亦有親臨致意者，可謂備受朝野尊崇！

有幾分證據說幾分話

胡適在《四十自述》中追憶他最佩服的人物是梁啓超，認爲任公的著作給他開闢了一個新世界，可以說是他的啓蒙者。而另外一位對梁任公著迷的徐志摩，在留美、留英返國後與胡適訂交，成爲極好的朋友，後來二人與梁實秋、葉公超等在上海創辦《新月雜誌》，但民國廿年徐志摩不幸死於飛機失事，胡適寫過不少詩文紀念他，其中最膾炙人口的是「山風吹亂了窗上的松痕，吹不散我心頭的人影」（見發表於中央日報副刊的《依舊月明時》一詩，時維四十六年）。

胡適在唸中國公學時，王雲五是他的英文老師，後來胡適有成就後，便推薦他主持商務印書館，並且還爲王氏首倡的「四角號碼」編了一首順口溜。胡適在北大講學時，對蔡元培所持的對《紅樓夢》一書的旨意的體認加以推翻，但二人始終是惺惺相惜，而他的學生顧頡剛，也受了他的影響，以有「幾分證據說幾分話」的精神治學，交出《古史辨》等漂亮的成績。由於他的鼓勵、栽培而有成就的人，難以數計，他一直有「於人何所不容」的大度，唯有做學問，則雖一字之微，也不輕易放過，但對於別人的指責，他反而時加推許對方「頗能讀書」、「可做研究」，眞正表現了「學問深時意氣平」的風度！

樂觀的自由主義者

胡適自由主義思想的形成於留美期間，也是繼嚴復、梁啓超之後，成爲中國從思想到實踐的自由主義者，他一向主張民主是一種生活方式，承認人人各有價值，人人各可自由發展的方式，他反對那種「必以吾輩所主張者爲絕對之是」的偏執，特別強調「容忍是一切自由的根本」；「容忍比自由更重要」（見〈容忍與自由〉一文），可見他體認的深刻與正確。史學家沈剛伯，在胡適死後，曾寫過〈我所認識到的胡適之先生〉一文，作爲悼念，文中他肯定：「適之先生對於中國的大貢獻是：（一）促成並普及以白話爲發表思想的工具，使教育得以普及；（二）提倡並闡揚科學，使西洋文化在中國受到相當的重視；（三）用科學方法整理中國三、四千年來的史料和學術，去其糟粕，擷其精華，使一般沒有成見的中外人士能得到一條正路，去尋求那茫然的「墜緒」；（四）集中國、希臘和近代歐美自由主義之大成，不顧忌諱地加以宣揚，使人性尊嚴之說在今日極權主義所造成的黑暗世界之中，還能發出一絲光芒；（五）以實際行為表現出他的愛國精神，差不多可以使「貪夫廉、懦夫有立志」。

總之，適之先生一生捍衛理性、科學、文明、自由、民主和人權，與各種非理性、偽科學、反文化、極權主義風潮搏鬥，眞是個「和而不流，強哉矯」的知識分子！

大和民族以剃刀和中國談戀愛

——蔣夢麟與他的「西潮」觀察

《西潮》一書，好舉平凡故事，以見人物特色，間雜以微妙而不傷人的諷刺，更充滿幽默與趣味，形成一種寧靜淡遠，自然誠摯的風格，令人「諫果回甘」，回味無窮，眞有「字字珠璣」之感。

「諫果回甘」的《西潮》

在許多次的讀書問卷調查中，《西潮》往往是中學生最常閱讀過而深受感動的一本書。這本書取名《西潮》，就是表示對西方文化東漸的影響特別注意之故。

自從清末，西方列強挾其「船堅砲利」強行打開中國閉關自守的大門，東西文化的激盪取捨，便成了中國思想界重要的課題；從早期的「中學爲體，西學爲用」的主張，到後來的「全盤西化」的意見，爭論不休。由於蔣夢麟早年曾接受良好的庭訓和傳統的私塾教育，少年時期又感受到西化運動的推行和滿清末年政治的腐敗，所以決心赴美深造，吸收了西洋思想的精華，以之爲學治事，但他仍是道道地地的中國人，保存了中國文化的優點，所以對中西文化的差異，體察日深。尤其對日抗戰的爆發，中國的命運與世界的關係，更令作者多所感觸，因此，利用自傳體的方式，借自己的成長經歷反映了時代本身；對幾十年來耳聞目見的中國社會變遷的現象，加以描述，以反映中國人的心理、情感、道德和指出中國問題的若干線索，希望世人更了解中國。中國人在思想上徬徨無主時，也可以從作者的經歷中，取得一些寶貴的經驗。《西潮》原以英文寫成，方便外國人了解中國，至四十六年，蔣氏再加修訂而有中文譯本問世，恐怕也是有意提供國人一個反省檢討的機會。

蔣氏曾說：「我原先的計畫，只是想寫下我對祖國的所見所感，但是當我讓這些心目中的景象一一展佈在紙上時，我寫下的可就有點像自傳、有點像回憶錄、也有點像近代史。」而《西潮》的內容，大致來說，第一部分〈滿清末年〉，講革命以前的社會及文化，作者就學的經過和家世。其次〈留美時期〉，講作者在美國的求學生活和遇到　國父的經過。〈民國初年〉部分講國內軍閥割據與戰爭，以及北京大學在這段混亂時期對於文化上的進展。〈國家統一〉部分講　國父的逝世，北伐的成功以及國民黨初掌政權的成績和帶來的新希望。第五部分〈中國生活面面觀〉，講中國幾個大城的生活、中國過去的貪污陋習以及這一代人的努力改革。〈抗戰時期〉講日本人充滿了征服東方的自信和戰爭狀態的加強，「盧溝橋事變」後的遷校問題，以及戰時的大後方。最後〈現代世界中的中國〉部分，則對中日文化及中西文化的問題，提出自己的看法。

羅家倫認爲《西潮》是「一本充滿了智慧的書，這裡面所包涵晶瑩的智慧，不只是從學問的研究得來，更是從生活的體驗得來。」由於蔣氏寫這本書時，是用了最明澈的理智，細味在時代中的經驗，正像一個旅行者登上了山頂，回望自己所走過的路程一樣，清晰在目，而他的見聞，更反映了我們民族在西潮東漸中所受到的影響與苦難，自然能帶給讀者宏觀的視野。而這本書最值得欣賞的是：

第一，作者深邃的觀察與精闢的分析，形成書中富有哲學的內涵。《西潮》書中每一片段都會有對社會和人生的透視，可以收到「小中見大」的效果。蔣氏能將中西文化和感想寫下，對祖國的民族性作多方面的比較，使我們能好好認識自己民族的優點和缺點，也客觀的了解其他民族的長短，他指出日本人只學會中國的忠而未學得恕道，「以剃刀和中國談戀愛」、「不屈不撓的長江，就是中國生活和文化的象徵」，這些充滿智慧的話，的確值得讀者掩卷深思。

其次，文風親切近人，要言不繁、信手拈來，都是敦厚醇樸的妙語妙喻。蔣氏所經歷的原是東西文化激盪的風雲際會的時代，國家和個人都歷經層巒疊嶂，激湍奔濤，但作者能以極平易近人的口吻和潑水成神的精簡筆墨，寫出這極不平凡時代的種種，彷如一個穩健的船夫帶著讀者「輕舟已過萬重山」，眞是「看似平常最奇絕，成如容易卻艱難」。比如作者寫自己辭去教育部長、離開南京時，曾被吳稚暉先生責罵他：「無大臣之風」一事，平淡中有深意，甚見筆力。總之，蔣氏好舉平凡的故事，以見人物特色，間雜以微妙而不傷人的諷刺，更充滿幽默與趣味，形成一種寧靜淡遠，自然誠摯的風格，令人「諫果回甘」，回味無窮，眞有「字字珠璣」之感。

今日臺灣的社會，表面上已經跨越《西潮》書中所要描述的時代，但也因爲政治、文化、經濟以及社會的急遽劇變，難免使不少人產生人生信念的模糊，價值觀念的混淆等等現象，也許這本書，正如沈君山所言，所提供的不僅是歷史，仍然有其時代意義，尤其「對於海峽彼岸，仍在現代化過程中摸索掙扎的大陸讀者，讀來或許會更有切身感。」蔣氏曾強調「武力革命難、政治革命更難、思想革命尤難」，中國何去何從，《西潮》一書，仍可提供一個明確的方向。

學貫中西，別具見解

在西潮衝激下，中國人由不滿而憤怒、急躁、哀怨和茫然，知識分子對如何使中國順利步入現代化坦途的意見，更不一致，蔣氏是少數能保持冷靜理智的學者，他指出：「政治究竟只是過眼雲煙，轉瞬即成歷史陳跡，恒久存在的根本問題則是文化。」所以先要重新檢討中國的文化問題。他更指出中國文化雖陷於低潮，但仍有其精彩高明的地方：由於中國人有追求「天人合一」的理想──「因相信天、地、人三位一體，使日常生活中藐不足道的人，升入莊嚴崇高的精神境界。」更有「人本的生命觀」──中國思想對一切事物的觀察，都以這些事物對人的關係爲基礎，看他們有無道德上的應用價值？有無藝術價值？是否富於詩意？是否切合實用？而中國人的智慧，更使我們由自然界的和諧規律，體認人生應行之道，所以形成道德的宇宙觀，使宇宙和人生之間不是疏離無情的。同時，中國文化的吸收力量最強，可以融合外來文化，形成和平共存的局面，所以歷經外族與外來思想的侵襲而仍能屹立，而中國人的樂天知命，兼容並蓄，有忍受艱難困苦的能力，更有「得饒人處且饒人」的妥協態度，減少人與人相處時的紛爭。但除了肯定民族的優點外，蔣氏也指出由於中國文化重實用過於求知，中國民族性太重視實際，以致缺乏做事思索的科學精神，因此某些科技工業和建設，不能不斷的求進步，也阻滯了中國的政治、社會、組織以及學術的進展，而西方學者則喜歡從事物中去追求科學的通理，所以西方科學比中國進步，値得學習。

由於自幼承受中國學問的薰陶和擁有堅定的文化信念，所以蔣氏在美國加州大學及哥倫比亞大學研習教育九年之久，並未成為一面倒的西化派，而更肯定一個人「對本國文化的了解愈深，對西方文化的了解愈易。」因此他不認為中國古書是偏狹的，也不認為傳統教育一無是處，他曾指出傳統教育的可貴是：「利用一切可能的方法，諸如寺廟、戲院、家庭、玩具、格言、學校、歷史、故事等等來灌輸道德觀念，使這些觀念成為日常生活中的習慣，以道德規範約束人民生活，是中國社會得以穩定的理由之一。」這番體認，在國粹派與西化派間是難得的中肯之見。

蔣氏雖接受過西學的完整訓練，也承認西方科學確較中國進步，可是他更認為，科學眞要生根，須借助於實事求是的科學精神。他代理蔡元培出任北大校長時，繼續堅持蔡氏治校的準則：崇尚學術自由、實行教授治校、鼓勵追求眞理的風氣，便在培養國人的科學精神。可惜近代呼籲科學救國的人，往往重視科學的應用成效上，陷入科學主義的表象，這與時代急躁求進的風氣和壓力固然有關，但多少也遷就了傳統讀書人「學以致用」、「學優則仕」以謀個人前途的心理，而盲目推崇科學主義，更可能產生「無宗教、無政府、無家庭」的「三無主義」的禍害，使民族陷於解體的危機，所以蔣氏主張對傳統文化的重視，對外來的民主與科學觀念，不能作橫的移植，只能接枝在老幹上，再配合全民的素養，逐步趨近理想。他也主張憲法也要考慮到中國人的生活習慣或思想觀念，可謂眞知灼見。

「轉益多師」的學習過程

出生於浙江餘姚縣一個頗富裕家庭的蔣夢麟（原名夢熊，字兆賢，號孟鄰），自認童年的教育養成他對知識的興趣很廣泛，比如在私塾所唸的古書，像《幼學瓊林》，不僅給他立身處世的指針，也成爲他後來研究現代社會科學的基礎。鄉居生活，接近大自然而得的知識，引他至現代科學，甚至聽大人說故事，也引發文學興趣。他在大學中更選讀上古史、哲學史、政治學等多門科系，可見他治學興趣的廣泛。他在國內時，爲讀經史子集而深夜不眠。光緒三十四年，赴美攻讀。初到美國時，由於英文不好，簡直如半盲半啞之人，但他每天早晨必讀報，《韋氏大字典》更不離手，遇有生字難詞必定翻閱。就是靠了一貫的苦讀精神，終於克服語言的阻礙而成爲博學之士。

他在美國初時本準備唸文科，但又希望能以自己所學，爲以農立國的中國多做點事，使國人生活能溫飽幸福，所以轉唸農科。後來又考慮到與其研究如何培育動植物，不如去研究如何培養人才，於是又轉唸教育系。這種「轉益多師」的求學過程，奠定他日後的學問和事功的基礎。他更主張教育不能只強調學生的興趣，更要「啓發一個人的理想、希望和意志」，眞不愧爲一個教育家。

蔣氏在民國六年由美返國，以三十五歲的年紀，便代理因反對軍閥而辭職的蔡元培成爲北大校長，以後又擔任浙江大學校長、教育部部長。但當他再次正式出任北大校長時，日本對華侵略的野心已暴露無遺。自從「九一八」日軍侵佔瀋陽以後，平津一帶的漢奸和殘餘軍閥，爲虎作倀，愛國的民衆和青年常被綁架失蹤。而蔣氏與胡適之，傅孟眞和愛國的教授們，在公開場合中，對任何敵僞企圖莫不盡情打擊，不計自身的安危，以期堅定守土將領的信心和激發軍民的同仇敵愾，因此北大便被日軍認爲抗日中心，更視北大校長爲抗日的首腦，務求去之而後快。於是日軍駐防北平的高橋大佐派兵將他「請」到東交民巷，威脅他不得進行反日宣傳，並作勢要送他到大連去和坂桓將軍談談，但蔣氏不卑不亢的回答說：「我是日本人民的朋友，但也是日本軍國主義的敵人。」更說：「全世界如果知道日本軍隊綁架北大校長，一定會引爲笑柄的。」由於他的鎭定不畏威武的精神，終於使日軍不敢對他無禮。

以後他在提倡節育運動時，也曾遭各方的責難，但他卻堅定的說：「如果一旦因我提倡節育而闖下亂子，我寧願政府來殺我的頭」，可見他的擇善固執的任事精神，可是他辦事也是最懂得政簡刑輕，分層負責之道的。他在擔任北大校長時，並不每天只顧看公文、訓職員、開會議，只是簡要的作重點指示，但由於他用人也專，待人也恕，所以許多人樂爲所用而把事辦好。

憫人濟世的懷抱

來臺後，他負責農復會和兼管石門水庫的事務，仍能本著道家的修養而顯得優閒自在，使許多人不以爲然。實際蔣氏的作風與中國傳統政治哲學的精神是契合的。《呂氏春秋．貴公篇》便曾說：「

處大官者，不欲小察，不欲小智。」所以事必躬親，察察為明者，有時會犯了唐朝魏徵在「諫太宗十思疏」中所說的「勞神苦思，代下司職」的毛病，不如「簡能而任之，擇善而從之。」一向愛讀《老莊》和《資治通鑑》的蔣氏，自然有高明的政治智慧！

蔣氏一向對不幸的弱者，非常同情，比如不忍坐黃包車，又怕不坐他們的車，他們更無以為生，所以想及糧食生產和人口的問題，他曾說：「中國社會風氣的敗壞，導源於腐朽的財政制度，而非缺乏責任感。」所以要想為生民立命，不得不自基本民生問題解決始。他到了臺灣作環島考察以後，更深深發現民間的疾苦太多了，在農村收成普遍不好的貧窮情況下，家庭愈窮而生育愈多，嬰兒死亡率也愈大，所以他發揮行政的長才。主持農村復興委員會，對臺灣農村的振興，及為六十年代臺灣經濟起飛的奠基、貢獻重大，而且大力提倡節育，以求改善人口素質和提高生活品質，以完成他憫人濟世的懷抱。

農復會有五位委員，三位中國人，兩位美國人，各有出色的經歷，但要處理的卻是最實際最鄉土的問題，只因都具有科學的訓練，都能運用民主的方法，所以終能成功，這可說是中國現代化過程中，結合理論與行政成功很出色的一個例子。農復會的風格，從制定政策到推動執行，崇尚民主科學又兼具中國人圓融實幹的特色，眞正做到東土西潮最好的結合，也使得蔣氏的理想能具體實現，文章事功，兩相輝映，可謂學者從政的典型！

新月詩派的靈魂——徐志摩

這樣一個盡情盡興，大悲大喜的人，其實也有他沈著豁達的一面。當民國十三年，印度詩哲泰戈爾來華講學時，徐志摩當他的翻譯，那次在南京東南大學體育大樓演講時，由於聽眾太多致使樓板突然低陷，聽眾驚惶走避，一時秩序大亂……

一場轟天動地的戀愛

民國十五年，北京有一場非常轟動的婚禮，因爲男方是文壇才子徐志摩，女方是交際名姝陸小曼。他們的羅曼史，先前已流傳出來，成爲許多人繪影繪聲、津津樂道之事。更特別的是，證婚人是梁啓超，他竟然在婚禮中痛罵新郎離婚再娶是不道德的，徐志摩上前低聲懇求老師息怒，才讓婚禮在大家錯愕不已中收場。

表面看來，志摩與小曼都比較新潮大膽，才敢與原配離異而另行匹配。但志摩是一個充滿理想的浪漫主義者，雖然他與原配的婚姻也算是門當戶對、琴瑟和諧，但由於是父母之命的傳統婚姻，使受到西潮洗禮的徐志摩認爲是違反個人意志的，所以他提議分手，「以自由之償還自由」以求「彼此重見生命之曙光，不世之榮業。」由於徐志摩對愛情的追求充滿憧憬，陸小曼的出現，成了具體的化身、追求的目標，所以不顧家中雙親的反對和陸小曼父母丈夫的阻撓，以飛蛾撲火的精神，「於茫茫人海中，訪我唯一靈魂之伴侶」。他把這番愛的尋覓，視爲「求良心之安頓、求人格之確立、求靈魂之救度」的大事，所以「甘冒世之不韙、竭全力以鬥者。」而且他明知任公不滿而請他證婚，便有公開受罰以換取良心平安之意，志摩倒有他的度量。

但陸小曼顯然沒有這麼深刻強烈的感受，由於自幼聰明伶俐，得到父母的寵愛，而且雖沒有怎樣正式上學，也藉著家教學會了英文法語，加上長大後，朱唇皓齒、體態娉婷，在北平社交圈中，風頭最健，自然不乏裙下追逐之人。一向被奉承呵護慣的陸小曼，大抵只把愛情之事視爲可以炫耀者，偏巧他父母爲她挑選的對象是做人一板一眼的王賡（王受慶，畢業於美國西點軍校），由於丈夫忙於事業，不解風情，所以婚後的陸小曼，仍經常出現於北平的舞會和娛樂圈中。他與志摩在社交場合認識後，由於共同參加一齣「春香鬧學」的義演而種下情苗。雖然王賡曾威脅阻止二人交往，小曼父母亦決定帶她回上海，以避免志摩的糾纏，但我們從《愛眉小札》中，便不難知道志摩如何煞費苦心行賄門公和丫鬟，以求暗通款曲，所以小曼坐火車回上海，志摩也展開一場追逐戰。後來王賡爲謀事業發展，不願在感情上再鬧紛爭，乃同意與小曼分手，並請徐志摩善待之，表現了一種君子風度。

和志摩在一起後，小曼多少受到鼓勵，也動手寫些作品，像《小曼日記》一類，彷彿有點正經事做做，但她不能過平淡的日子，總要揮霍花費，交際異性，後來甚至染上毒癖，所以徐志摩爲了養家（其父母因責其離婚之事已斷絕一切供應），不得不拚命兼差，經常奔波北平和上海間，竟不幸在民國二十年，由南京乘便機回北平，因飛機失事而殞命，當時他才三十六歲！

徐志摩和陸小曼，雖是兩個行徑相似的浪漫主義者，但氣質高下終究不同。小曼不肯將天賦好好發揮，否則，她在繪畫、音樂、寫作或演戲方面用點心思，必然也有自己的成就，但她不能擺脫虛榮驕縱的習性，表面看來是她在玩弄異性，實際卻甘受男性的供養而不能成就獨立的人格與自尊，比起志摩的元配張幼儀的絕交不出惡聲，甘心獨立而不願牽絆對方，實在不如。所以志摩的一生，如他的知交胡適所言只有單純的信仰：「一個是愛，一個是自由，一個是美。」卻不幸把理想與心思錯放在陸小曼身上。如果他不早死，也會慢慢感受到理想幻滅的悲哀，所以志摩的早逝，固然使人惋惜，但對他自己來說，也許才眞能達到他不想受約束而「想飛」的自由心願呢！

新月詩派的靈魂

徐志摩原名章垿，字又申，是浙江海寧縣人。他出生於富裕之家，父親申如經商有道。志摩生來聰明，自幼便有神童的美名。他唸杭州中學時，看來並不用功，平日只顧看小說，但考試和作文時，往往得第一。民國三年，他考取北京大學的預科，在北大不到一年，便奉父母之命結婚，婚後拜梁啓超爲師，後來又重入北大，進法科政治學門。但讀了兩年便到美國進修。民國七年他赴美途中，曾寫了一封自白書以告親友，由此可見他當時的求學意志和愛國的熱情，他曾說：「傳曰：『父母在，不遠遊』，今棄祖國五萬里，違父母之養，入異俗之域，舍安樂而耽勞苦，固未嘗不痛心欲泣，而卒不得已者，將以忍小劇而克大緒也。恥德業之不立，惶恤斯須之苦；悼邦國之殄瘁，敢戀晨昏之小節？……惟以華夏文物之邦，不能使有志之士，左右逢源，至於跋涉間關，乞他人之糟粕，作無憀之妄想，其亦可悲而可慟矣。……摩少鄙，不知世界之大，感社會之惡流，幾何不喪其所操，而入醉生夢死之途！此其自為悲憐不暇，故益自奮，將惆惆懾懾，致其忠誠，以踐今日之言，幸而有成，亦以答諸先生期望之心於萬一也。」這番話，不但具見少年英氣逼人，更大有王勃〈滕王閣序〉的味道，說志摩舊學根底深厚，擅寫駢文，亦由此文可以為證也。

徐志摩到了美國，先入克拉克大學習經濟，再入哥倫比亞大學習社會學，但為了想拜英國的羅素為師，便放棄了哥大博士頭銜的引誘而到了劍橋，但那時羅素已遭劍橋除名，忙於著書而不再授徒，志摩只好進入倫敦大學政治經濟學院。後來得遇《現代專論》的作者狄更生，透過他的介紹進入劍橋王家學院為特別生。生活在文學藝術氣味濃厚的環境中，志摩遂放棄了經濟學、社會學而專力於文學。由於深受拜倫、雪萊、莎士比亞、尼采等人的著作影響，遂形成他唯美與浪漫的思潮與信仰。他在國外時，由於心儀一些文學大家如哈代、畢列茨、曼殊斐兒等，曾寫成一系列的訪問記，文字熱情動人，形成與普通新聞報導不一樣的新文體。

民國十二年，志摩回到國內不到一年，便受胡適邀請任北大英文系教授，民國十四年，接編《晨報》副刊，並促成《北京晨報詩鐫》出世，當時參與其事的，還有聞一多、沈從文等。他們對新詩主張要創格，要發現新格式與新音節，要誠心誠意的試驗作新詩。這詩刊在文壇上的影響很大，因為他們講格律，所以便有人稱他們是格律詩派，也就是一般人所說的「新月詩派」。

民國十六年，徐志摩和胡適、梁實秋、葉公超等成立新月書店於上海，發刊《新月雜誌》。「新月」二字，原是由泰戈爾的詩集套下來的，而「新月派」也不是什麼嚴密的組織，只是這群文人，多少有自由主義的傾向，比較氣味相投而際會在一起，但他們的新詩運動，卻對我國新詩的發展有深遠的影響，而徐志摩便是「新月派」的靈魂，創造了許多膾炙人口的新詩。

撚斷多少根想像的長鬚

志摩在短短幾年內，發表許多創作和翻譯，不管是散文、戲劇、小說或詩歌，沒有一種型式他不曾嘗試過，也沒有一回他的嘗試，沒有出色的表現，但最被世人推許的仍是他的新詩與散文，朱自清在《新文學大系導論選集》中說：

「他（指志摩）沒有聞氏那樣精密，但也沒有他那樣冷靜，他是跳著濺著不舍晝夜的一道生命水。他嘗試的體制最多，也譯詩，最講究用比喻——他讓你覺著世上一切都是活潑的、鮮明的。陳西瀅氏評他的詩，所謂不是平常的歐化，按說就是這個。又說他的詩的音調多近羯鼓鐃鈸，很少提琴洞簫等抑揚纏綿的風趣，那正是他老在跳著濺著的緣故。他的情詩，為愛情而詠愛情；不一定是現實生活的表現，只是想像著自己保舉自己作情人，如西方詩家一樣。但這完全是新東西、歷史的根基太淺，成就自然不大。」

朱自清以「行家」身分所作的褒貶，自然有他的見解，但徐志摩一直堅持「完全形體是完美精神唯一的表現」，因此他作詩力求形式工整，格律精嚴，更講究用韻，雖然，他大量借用西洋詩體，也融進拜倫的熱情，濟慈的憂鬱和雪萊的歌詠自然，甚至受到泰戈爾詩風的影響，但由於融合中國舊文學的基礎，他仍帶有中國詩的風味，而且由於感情眞摯，用字靈活，更覺渾然天成。他自述創作時是非常認眞而嚴肅的：「從一點意思的晃動到一篇詩的完成，這中間沒有一次不經過唐僧取經似的苦難的。」唐誠也說：「志摩對於中國新文藝的將來，假如有相當的貢獻時，據我看，並不在他那些詩篇的本身，都在他那創造的精神和嘗試的工作上。」所以他的創作精神是最可欽佩的。他最愛的一首詩是：「我是天空裡的一片雲，偶爾投影在你的波心」那首〈偶然〉，但爲了寫詩，他自認「不知曾經撚斷了多少根想像的長鬚」，又豈是「偶然」？

把文章當文章寫的天才

世人多愛志摩的詩，但梁實秋和葉公超卻認爲志摩的散文猶在他的詩之上，梁實秋的〈談志摩的散文〉中說：

「志摩的散文，無論寫的是什麼題目，永遠保持一個親熱的態度。……他的散文裡充滿了同情和幽默，他的散文沒有教訓的氣味，沒有演講的氣味，而是像和知心的朋友談話。無論是誰，只要一讀志摩的文章，就不知不覺的非站在他的朋友的地位上不可。……文章寫得親熱，不是一件容易事，這不是能學得到的藝術，必須一個人的內心有充實的生命力，然後筆鋒上的情感，才能迫人而來」。

梁實秋甚至認爲志摩散文的缺點——跑野馬，反而是他的優點。本來文章多生枝節，並非妙事，但志摩的「跑野馬」也不是隨意胡寫，只是他寫起文章來，如長江大河，傾瀉而出，但文中的枝節由於想像豐富而顯得趣味盎然。反而使人神往，不回到本題也不要緊。何況，志摩的散文，幾乎全是小品文的性質，不比說理的論文，所以隨意寫去，不但不算毛病，反而覺得可愛。志摩的詩便是爲詩的格局所限，不能盡情痛快顯露他的才華，所以纔不如他的散文。

但志摩的文章，無論扯得離題多遠，也能控制回本題，因爲他的文章永遠是用心寫的。他在〈輪盤自序〉裡說：「我敢說我確有願心想把文章當文章寫的一個人。」只要細讀他的〈自剖〉、〈巴黎的鱗爪〉等文，便發現他的選詞造句無懈可擊，他的散文確有「自覺的藝術」。他寫文章似乎不避免土話、寒傖語，甚至會說大話，也不怕讀者見罪或別人譏笑，他是毫不矜持的把心裡的話掏出來說，所以不失「修辭立其誠」的原則，甚至可說印證了古人說的：「有眞人品然後有眞文章。」

吹不散心頭的人影

志摩的死，是「砰的一聲炸響——青天裡平添了幾堆破碎了的浮雲。」（想飛）但卻使「悽涼老父，重賦招魂」，更令認識他的人，懷念傷神。因爲他是一個最令人可親可近的人。他雖出身富家，卻沒有紈袴小弟的習氣。梁實秋說他：「本身充實，有豐富的感情，活潑的頭腦，敏銳的機智，廣泛的興趣，洋溢的生氣」，所以他雖然風神瀟灑，旁若無人，但不會令人感到他高傲。他有如一股春風，所過之處，總帶來一股生氣，朋友聚會，若缺少了他，多少有舉座熱鬧不起來之感。林語堂也說他是「情才，也是奇才」，與任何人無不善，「其說話爽，多出於狂叫暴跳之間，乍愁乍喜，愁則天崩地裂，喜則叱吒風雲。」

這樣一個盡情盡興，大悲大喜的人，其實也有他沉著豁達的一面。當民國十三年，印度詩哲泰戈爾來華講學時，徐志摩當他的翻譯，那次在南京東南大學的體育大樓演講時，由於聽衆太多致使樓板突然低陷，聽衆驚惶走避，一時秩序大亂，但大師仍鎮定的站在講桌旁，徐志摩也兀然不動，並且以嘹亮的聲音說：「諸位，膽子放大些，有泰戈爾詩哲的精神感召，樓不會塌的。孔子說：『朝聞道，夕死可矣』！就是把我們壓死，也不是無代價的犧牲啊！」由於這番有力的話，大家逐漸安靜下來，後來雖然又有宣揚馬列主義的人鬧場，也無礙於這場演講的圓滿結束。至於志摩和梁啓超相約公開撰文揭破蘇俄對華的野心，也可見這位出世的詩人，仍對時局關心的！

「誰想做一個詩人，他必須自己是一首眞正的詩。」志摩可說是以他的生命鑄成文章和詩歌的。雖然有人嫌他的作品甜膩有如吃蜜餞，「濃得化不開」，但沒有人能否定他生命力的熾熱和感情的充沛，李白的豪放和義山的淒美情調同集一身，志摩眞是詩魂的託身！他的一生，如彗星乍現，謫仙貶塵間，他的離開，眞是「揮一揮衣袖，不帶走一片雲彩」，但留給世人無限的驚嘆與感動，更令他的好友「吹不散心頭的人影」！（胡適語）

中央大學的守護神

首任駐派印度大使

——羅家倫先生（一八九五—一九六九）

民國六年，羅家倫考取北京大學，據說他的作文是滿分，數學卻得零分，其他各科平平，胡適破格錄取他，進入北大後，他感受了新思潮的影響，而成爲學生運動的領袖……

「五四運動」距今已七十二年了，雖然余光中曾主張「下五四的半旗」，對這已成「明日黃花」的運動已不必推崇再三了。但每年逢到五月四日，不少人仍以「五四運動」爲話題；每逢海內外知識分子有什麼活動時，往往也會將它和「五四運動」作比較，所以我們不得不承認「五四運動」的影響深遠，而更令人想起那時代的風雲人物，現在先略爲介紹一下「五四運動」發生的經過和羅家倫的關係：

弱冠崢嶸——領導五四風潮

「五四運動」並非只是一個單元的運動，可以說是多元運動的複合，起碼是「白話文運動」、「新文化運動」及五四當天發生的政治事件的合流與發展。「文學革命」是自民國六年，胡適在《新青年》發表〈文學改良芻議〉，陳獨秀發表〈文學革命論〉主張改革中國文學，使用白話文開始、漸成風潮。北大學生傅斯年、羅家倫等也創辦《新潮》，成爲由文言改成白話的《新青年》的第一個友軍。當時在其上刊登新詩、散文、小說甚至文學批評、翻譯、戲劇。俞平伯、朱自清、葉紹鈞、周作人、郭紹虞、吳康等人都有作品發表。《新潮》雖發行了十二期，便因主編者相繼留學而悄然停刊，但對白話文運動的勃興、也起了推波助瀾的作用。

所謂「新文化運動」是指以《新青年》及北大爲中心，所傳播的新思潮，及其擴展和影響。對於當時《新青年》和北大所傳播的新思潮，感受最敏、得之最先的當然是北大的學生，他們高喊「思想革命」、「社會革命」、引用德國哲人尼采的名句，要「重新估價一切」。羅家倫的〈今日之世界新潮〉一文，便認爲每一時代都有不可阻擋的潮流，例如歐洲文藝復興是黑暗時代的巨潮，二十世紀的浪潮則是俄國的十月革命。從《新潮》創刊號的文章，更可以看出俄國十月革命對中國知識分子所投下的影響，他們把既有的文化，眼前的現狀都看作漆黑一團的地獄，必須拔除掙脫以尋求新天地，當時擁有羅家倫同樣想法的相當多，因此「五四運動」之後，在中國捲起了社會主義的狂飆與俄國熱，在新思潮中湧現的新人物，日後也往往成爲政治、文教界的著名領袖，對中國的影響，自然鉅大。其中也有成爲中共早期的活躍分子，至於羅家倫當時的思想雖然有偏激之處，但他的熱情愛國，卻禁得起考驗。

民國八年四月下旬當時大衆知悉段祺瑞政府和日本簽有秘密協定、容許日本接收德國在山東的特權、巴黎和會的代表，即將被迫在和約上簽字時，群情激動，北京各校學生一千餘人，乃緊急會議要有所行動。五月四日下午一時半，十三個大專學校約三千學生齊集天安門，遊行示威，並散發印好的〈北京學界全體宣言〉，強調：「山東大勢一去，就是破壞中國領土，中國的領土破壞，中國就亡了……務求全國工商界，一律起來，設法開國民大會，外爭主權，內除國賊，中國存亡，就在此舉了。今與全國同胞立兩條信條道：中國的土地可以征服不可以斷送，中國的人民可以殺戮不可以低頭！國亡了，同胞，起來啊！」這份樸素動人的宣言，就是羅家倫寫的，他更被推舉爲三代表之一，到各公使館分送抗議書。

當時學生純潔的愛國運動，終於得到全國的支持，雖然北洋政府藉口學生有毆打章宗祥的暴亂行爲而加以鎮壓，但最後不得不罷免曹汝霖等親日分子，也釋放學生，巴黎和會上我國代表也拒絕簽字，所以當時的示威活動大致見到效果。連康有爲也公開通電讚揚：「自有民國，八年以來，未見眞民意、眞民權，有之自學生此舉始耳。」。至於羅家倫更認爲「五四精神」是：「一、學生犧牲的精神，二、社會制裁的精神，三、民族自決的精神。」

獻身教育——功在中央大學

現代學者周策縱的《五四運動史》指出五四運動的本質是：知識運動和社會政治運動的綜合，乃爲了達成國家的獨立、個人的解放和藉著中國現代而建立一個平等的社會。廣義來說，它的本質是一個智識革命。五四時代的學生，可以說仍繼承了士人對政治使命的傳統觀念，關心時政。但和歷史上的太學生抗議運動不一樣的是，當時知識分子多認爲對中國傳統文化應作全面的檢討改革，他們以爲不但應介紹西方的科技、法律和社會制規，更應把古老傳統連根拔除，換以全新的文化，因此「五四運動」的功罪，便一言難盡。大體來說：「五四運動」的最大成就是屬於思想意識方面的，其次才是運動期間有關社會均勢的實際改革。白話文的應用、新文學的誕生、出版事業的發達、外來新觀念的流行和教育的普及，都是和思想意識的改變相伴而生，同時引發社會的改革、家庭革命、婦女解放和勞工勢力興起的現象，可以說幾乎決定了以後數十年間，中國在政治、知識和社會方面的發展趨向，但也因爲否定中國傳統許多優良的特色和對新學說的過份深信，面對困難複雜的問題，操之過急，所以不能達到巨大的文化社會變革的理想效果，而使中國社會陷入一片迷亂中。

羅家倫字志希，筆名「毅」。原籍浙江紹興，清光緒二十三年生於江西進賢縣，父親羅傳珍爲該縣知縣。三歲時，母親便教他背詩識字。父親每日選錄典故二三則，令他跪在凳上靜聽，奠定他的舊學基礎。也由於他的古文好，所以在復旦公學唸書時，被同學稱爲「老夫子」，他也自許爲「孔子」。大抵中學時期的羅家倫仍是較保守的，所以最崇拜的仍是「立憲派」的梁啓超。

民國六年，他考取北京大學，據說他的作文是滿分，數學零分，其他各科平平，胡適破格錄取他，進入北大後，感受新思潮的影響而成爲學生運動的領袖。北大畢業後，入美國普林斯頓大學就讀，也加入「中國學生華盛頓會議後援會」，支援我國爭取日本歸還山東青島。爲視察歐戰後的新動向，他與數位同學遊歷英、德、法，並曾在倫敦、巴黎、柏林大學選課，但都沒有讀學位，只是致力於研究哲學、史學、文學，並且對各大學辦校成功之處，多留意學習。也據說，他在遊學期間，苦心的追求羅夫人而娶得美人歸。

羅氏回國後，先後任教於東南、武漢、北京大學，蔣公創辦中央黨學校（即政治大學前身），教育責任多由他處理。他擔任清大校長時，選拔優秀學生赴美，發展科學，使清華成爲第一流的大學。民國二十一年，他接掌中央大學，提出「誠樸雄偉」四字與師生共勉，期能創造一種「新精神、新風氣」，「以達到一個大學對於民族的使命。」二十六年他參加廬山會議後，知悉當局抗日的決心，乃決定將一切設備遷往重慶沙坪壩設校，並沿嘉陵江開鑿山洞爲防空洞，使師生免於傷亡。由於遷校工作辦得好，使中央大學，不但保存元氣，更能擴大規模，增收學生。羅氏在經費貧乏中，勉全校師生以大義相激勵。他曾說：「我們抗戰，是武力對武力、教育對教育、大學對大學，中央大學所對著的，是日本東京帝國大學。」中央大學在他率領，在砲火中更形蓬勃進展。

勇於任事——毀譽全然不計

民國三十六年春，政府特任羅氏爲我國第一任駐印度大使。他費心交結印度朝野名流，熱心相助印度爭取獨立自由，不再為英國殖民地。他建議印度國旗以圓輪表示生生不息之意，獨立時間不妨自子夜零時開始，都獲得印度政府的欣然接納，可惜印度聖雄甘地遇刺身亡，中國更是山河變色，印度總理尼赫魯竟搶在英國之先，承認中央政權，使羅氏有「四載籌邊等廢談」之嘆！羅氏於結束使館時，先安置妻女離印，自己留下為安排流落印度難民的事奔走，並商得克什米爾當局收容我國難胞，以免我撤退人員，死於冰窖雪山的危險。

三十九年底，羅氏回臺北述職，曾先後出任考試院副院長、國史館館長等職，又兼任中國筆會會長，曾多次出國，促進我國與外國的學術文化交流的貢獻極大。晚年因腦功能衰退而病逝，卒年七十五。他最後的自壽詩：「但有死亡無凋謝！」正反映了他一生奮鬥不已的精神。

羅氏在學時，曾被同輩視為文弱書生，但在「五四運動」時，他卻成了不懼北洋軍閥的學生運動的首領。民國十七年，「五三慘案」發生，日軍阻撓我國民革命北伐，出兵濟南，並殺害我國交涉使。羅氏奉命到濟南交涉署查看，又奉命與日軍師團長福田彥助交涉。當時的情況險惡萬分，而被黃季陸取笑為膽小鬼的羅家倫，卻表現了大無畏的精神，勇於承擔責任。當他提早把中央大學撤退到重慶時，因戰禍尚未波及到南京一帶，所以他也成為許多人譏笑的對象，但中大其後的日益發展，證明羅氏的早作圖謀是明智之舉，可知平日羅氏不脫書生本色，但臨難之際，卻是個有膽識作為的人。

當　蔣公提名他擔任考試院副院長時，曾問王世杰何以有許多人批評、攻擊羅氏？王氏回答：「羅志希在做大學校長時，許多人向他推薦教職員，倘若資格不合，他不管什麼人，都不接受，因此得罷了不少人。」由此可見羅氏做人做事，公正不苟，不計毀譽得失。他目睹國運多艱，曾賦詩寄慨：「榮辱念非匡濟福，存亡只爲國家謀。荷因廣覆多遭雨，桐自孤標易感秋。」這首詩正可表現羅氏憂時濟世的懷抱胸襟，他並非只是一名急躁的學生運動的首領而已！

著述豐富——創「新人生」哲學

羅氏一生，不論在教育上、政治上、或學術文化上，都有輝煌的成就與貢獻。尤其在國家多難之秋，總是挺身負責，表現了愛國家民族的大義與赤誠，可說是一個熱血男兒。他更有多才多藝的一面，他雖是白話文運動的健將，更工詩文、擅書法，尤其他的古體詩，更有民國以來第一人之譽。比如他的〈玉門出塞〉，蒼涼悲壯、有鼓勵中華兒女經略四方之志，由李維寧作曲，成爲傳唱衆口之作：「左公拂柳玉門曉，塞上春光好。天山溶雪灌田疇，大漠飛沙旋落照，沙中火草堆，好似仙人島。過瓜田碧玉叢叢，望馬群白浪滔滔。想乘槎張騫，定遠班超，漢唐先烈經營早。當年是匈奴右臂，將來更是歐亞孔道，經營趁早，莫讓碧眼兒射西域盤鵰。」

（按民國卅二年，羅氏被特派爲「西北建設考察團團長」、「新疆監察使」。他曾橫跨大漠、抵達迪化，對新疆督辦兼省長盛世才，多所勸喻，使新疆與中央有最密切合作的一段時期。可惜盛氏多疑善變，又與俄接近，民國三十三年八月迪化事變又起，中央派去的人員多被捕下獄，羅氏亦險爲階下囚；幸因俄制止其行動，中央解除盛世才職務而平息風波。而羅氏在寧夏視察時，亦幾墜馬出事，可見西北行程之苦，其間賦詩多首，以述所感而成《西北行吟》一書，西北之行，更使他體認國事艱難。）

羅氏一生的著述十分豐富，除了早期的新詩和經常發表的散文外，著名的作品，計有《科學與玄學》、《新人生觀》、《新民族觀》、《中山先生倫敦蒙難史料考訂》、《逝者如斯集》等等。譯有《平民政治的基本原理》、《思想自由史》等書。在國史館長任內，先後編印《中華民國開國五十年文獻》、《國父百年誕辰紀念叢書》。

其中最膾炙人口的是《新人生觀》一書，這書可說是他逃難時，在浩蕩成江的鮮血裡，滂沱如雨的炸片下寫成的。他希望青年能揮動慧劍，割去陳腐。而他所要達成的新人生哲學，是由一股強烈的國家觀念與民族意識構成的，激發了千千萬萬青年的熱情，是一本極能感動人的青年勵志的文粹！

肆　生命哲學的探討

從阮籍之〈達莊論〉談——

浪漫文士之生命情調終究異於老莊之道

前言

阮籍的〈達莊論〉是一篇很有名的作品，也可以把它列爲魏晉文人對老莊哲學見解的代表作之一。張溥的《漢魏六朝百三家集題辭注》中便曾說：

嗣宗論樂，史遷不如，通易，達莊，則王弼、郭象二注，皆其環內也。以此三論，垂諸藝文，六家指要，網羅精闊。

他認爲阮籍此二論，已籠括王弼、郭象注莊老之旨，可謂對之推崇備至。平心而論、阮籍此二文確有調和儒道之意，這種味道在〈通老論〉尤爲明顯，但〈通老論〉篇幅太短，還看不出阮籍對老、莊之體認究竟如何，所以唯有就〈達莊論〉加以分析理解，才可看出阮籍對老莊之思想是否眞能契合無間？更進而了解浪漫文人之生命是否已得哲理之指引而趨安頓。

一、阮籍言萬物一體與莊周言齊一之異

〈達莊論〉中，阮籍借達者之口，以闡釋莊周「齊物」、「逍遙」之要旨，細察其言，便知其意是從天地萬物起源於一之觀點立論，所謂：

天地生於自然，萬物生於天地，自然者無外，故天地名焉，天地者有內，故萬物生焉。當其無外，誰謂異乎？當其有內，誰謂殊乎？地流其燥，天抗其溼，月東出，日西入，隨以相從，解而後合……自然一體，則萬物經其常，入謂之幽，出謂之章。一氣盛衰，變化而不傷，是以重陰陽雷電，非異出也。天地日月，非殊物也，故曰：自其異者視之，則肝膽楚越也，自其同者視之，則萬物一體也。

我們由此可看出阮籍是從「一氣之化」的觀點來講萬物一體的，認爲天地宇宙萬物既然都是自然的一氣所化，應該是齊一的，沒有什麼分別的，但這種觀念是否即莊周講齊一的思想根據呢？由於齊物論是莊子哲學思想中最重要的一環，因此阮籍所言與莊周言一之本是否相符，必須細加研究。

莊子書中講「一」的地方不少，可是「一」的意義，卻不是完全明確一致的，比如知〈北遊篇〉中說的是：

人之生，氣之聚也，聚則爲生，散則爲死，若死生爲徒，吾又何患？故萬物一也，是其所美爲神奇，其所惡者爲臭腐。臭腐復化爲神奇，神奇復化爲臭腐，故曰通天下一氣耳，聖人故貴一。

這裡所說的「萬物一也」、「聖人故貴一」的一，無疑是從一氣之化的意思推衍出來，確指一種比較實際的根據，但〈田子方〉一篇所說的，又另有所指了。

夫天下也者，萬物之所一也，得其所一而同焉，則四肢百體，將爲塵垢，而死生終始，將爲晝夜而莫之能滑，而況得喪禍福之所介乎？

這裡所謂一，應該是指「不二」之意。從理上說：天下是萬物的「全」，存天下於天下之中，自不會失天下，那麼，與「全」不二的萬物，自亦不會發生毀滅、消失的危機！那又何必憂慮死生福禍呢？比較類似這意味的，還有〈德充符篇〉說的：

自其異者視之，肝膽楚越也；自其同者視之，萬物皆一也。夫若然者，且不知耳目之所宜而遊心乎德之和，物視其所一而不見其所喪，視喪其足猶遺土也。

這是要人從平齊的觀點，去體會萬物可以同一之理，然後可以玄同彼我，不把死生變化看作截然兩件事，因此這裡所說的「萬物皆一」，仍是就事理上說可以有齊一之理，而非落實的以一氣之化，作爲萬物齊一之理的根據，與阮籍所言，顯然不同。而正由於不能區別莊子言一的不同意思，所以阮籍對於莊周齊物的思想，便不能善於應解。

莊子在〈齊物論〉中講「齊大小」、「齊暫久」，其實是根據「天地與我並生，而萬物與我爲一」的境界來說。這種境界，牟宗三先生曾稱之爲「道之境界」、「無之境界」、「一之境界」，亦即「自然之境界」（《才性與玄理》一七九頁）。因爲莊子哲學的特質是將許多形而上的概念，再從客觀面收進而統攝於主觀境界上來化除，所以「道」、「無」、「一」「自然」等等概念，在莊周心中都是一種心態冥諧的境界形態。那種境界便是一種逍遙乘化、自由自在、自足無待的境界。由此可見莊子是認為當各物能自適其性，圓滿具足，才可說是齊，才可說是一。因此阮籍在〈達莊論〉所說「故以死生為一貫，是非為一條也。別而言之，則鬚眉異名，合而說之，則體之一毛也」的所謂齊物，在仍未得《莊子齊物論》的要旨。

二、阮籍所言儒道之別亦未盡得莊子之意

由於魏晉名士崇尚老莊，不免故意輕視儒家，而使人有「儒門淡泊，收拾不住」之嘆，阮籍在〈達莊論〉中，故意抑儒揚莊，區分儒道之別，以為

彼六經之言，分處之教也，莊周之云，致意之辯也。大而臨之，則至極無外。小而理之，則物有其制。夫守什五之數，審左右之名，一曲之說也。循自然，住天地者，寥廓之談也。

此處認為儒家所重者為「分處之教」，不免淪為「一曲之說」，總不能包舉無餘；只有無所分的「致意之辯」，才能「至極無外」。而就理上說，我們說某物是什麼的時候，無疑便限制了他的內涵。因為他既只能是這樣，便不能是那樣，所以分處之教，的確有所限制。阮籍在這裡似已把握到儒道二家的分野，但實際落在現實境界上，分處之教是少不了的，而在精神境界上，儒道二家都可以「盡其致意」之辯，所以《莊子齊物論》中說：

六合之外，聖人存而不論，六合之內，聖人論而不議。春秋經世，先王之志，聖人議而不辯，故分也者，有不分也，辯也者，有不辯也。

可見，對不同的事物採取不同的態度，未必是莊子所反對。何況，道家爲了想將仁、義、禮、文及至聖、智推進一步，提昇一步，以達「至仁、至義、至聖、至智」的境界，不惜非「小仁」、「小義」、「小聖」、「小智」的價值，而說「大仁不仁、大廉不嗛、大勇不忮」〈齊物論〉，老子也有「大直若屈，大巧若拙，大辯若訥」的詭辭，可見分與不分，辯與不辯，有時也沒有截然的界線，而由分處之教，未嘗不可進至致意之辯。所以向秀、郭象的莊注認爲「聖人得本，故不言，老莊見跡，每寄言出意」。王弼也認爲懂得分處之教的聖人，更能體無：《世說新語文學第四》曾載其言曰：

王輔嗣弱冠詣裴徽，徽問曰：「夫無者，誠萬物之所資，聖人莫肯致言，而老子申之無已，何邪？」弼曰：「聖人體無，無又不可訓，故言必及有，老莊未免於有，恆訓其所不足。」

王弼能看出儒家的聖人和道家的老子，在某些意義上是可以相通的，尤其在精神境界上，大家都可以有一個「無」——圓滿自足，不假外求的境界，因爲「棲棲遑遑，席不暇暖」的孔子，表面上是忙透了，但由於精神上俯仰無愧，可以安仁、樂仁、亦是最寧靜、最自足、最無爲，這正是老莊所標榜的不貪求，不外騖的逍遙自得之樂。不過，這種境界的到達，老莊是從消除慾望著手，顯得沒有積極的指導性，而儒家由踐履仁義著手，有建設性價值，終究有所差異。但此點深刻的體驗，是阮籍達不到的。有時，阮籍的話，很接近老莊，不過也是藉著一點玄智捕捉老莊的精神，而非眞的默契心通，居安資深。

三、浪漫的文人生命終非老莊的境界

為甚麼阮籍不能到達老莊的境界呢？我們可引牟宗三先生的一段話作為解釋：

老莊之道，顯然並不是文人生命所沖向之洪荒。無論如何，它總是由「心」上作「虛一而靜」之工夫所達至之玄冥，「獨化」之境界，「無為與無不為」之境界。老莊之系統，其始固是對外在之周文而來之反動，由此而見出與人文禮法有暫時之衝突。所謂暫時，是想超過它，而期依詭辭為用之方式，由「無心」之渾化，而作用地以自然而至之。依此而言，這不是文人生命所表現之永恆而普遍之衝突。老莊之系統……其所衝破者是外在之虛文而足以使吾人疲命以殉而不能「自適其性」者，假若無心於文，而有自然之文，則亦無須衝破矣。（《才性與玄理》頁二九二—三）

以阮籍所具的浪漫文人的氣質，要想不恃修養、凝斂的工夫，任從生命之流的奔向而欲到達絕對自由的心志，雖偶或能至玄冥的境界，但決不能持而保之，所以他的生命，仿如不息的水流，長作永無休止的衝突，找不到可以掛搭的歸宿，這眞是浪漫文人的最大悲劇！所以透過〈達莊論〉，我們可以看出阮籍不能體會莊周嚴肅悲涼的一面，只是借莊子表面放達之辭以文飾其文人生命之狂放耳。阮籍是絕對做不到他文中所謂的「至人」的境界的，因為：

至人者，恬於生而靜於死，生恬，則情不惑，死靜，則神不離，故能與陰陽化而不易，從天地變而不移。生究其壽，死循其宜，心氣平治，消息不虧。

試問一個並非徹底了然生死之道的人，怎能做到「恬於生，靜於死」的境界呢？莊周是澈悟萬物齊一、死生無異的道理後，才不再理會「周之夢爲蝴蝶歟？蝴蝶之夢爲周歟？」而阮籍卻是一個故意「超世以絕群，遺俗而獨往」的人，母死仍不能忘懷表現激憤之態，厭惡當道者而仍與之委曲周旋，可見他並非眞能超脫形跡，冥忘物我者！

由於阮籍甚至可說普遍的魏晉名士，只是在生活上表現了老莊的理論觀點，缺乏修養的工夫，所以心靈上並非老莊的眞正遙契者，根本上亦不能長住老莊標榜的境界，所以他們終究只能成一個名士或浪漫文人，而不能成爲一個嚴肅的智者或哲人，甚至亦不能以老莊思想根本解決生命本質的矛盾與痛苦，所以魏晉名士的灑脫，終究只得老莊的皮相，而一般才氣聰明不如阮籍的狂士，更可能連捕捉老莊的一點電光玄智都欠缺，更談不上生命的安頓與著落，終究成爲天地的「棄材」而已！

在舉世滔滔，人多迷失的今日，年青的朋友更不免多「歧路亡羊」的惶恐或「懷才莫遇」的激憤，不妨先停步下來，反省一下自己的生命情調究竟是哪一種？哲人的睿智與藝術家的狂熱，都是可以安身立命之所，但別讓生命的洪流，作漫無方向的衝決，以免再一次重蹈魏晉文士的覆轍！

無奈的灑脫——

談阮籍的性情

讀魏晉史籍和《世說新語》等有關魏晉人的公私記載時，魏晉名士的瀟灑俊逸，清談妙論，往往使人神馳傾慕不已。尤其在學的年輕人，總恨「禮爲我輩設者太多」，恨不得與阮籍、劉伶等竹林七賢同遊，或揮麈而談，目無餘子；或途窮而哭，率性而行。平心而論，今日世態演變的複雜，是非價值的混淆，比動盪的魏晉時代甚或過之，而年輕人的苦悶與失落感，也許超過魏晉名士（因爲他們多少有其社會地位），難怪許多青年的心態和行徑都不能以常理論，今天我們再來看看魏晉名士的矛盾與痛苦，以及他們的狂妄與所謂灑脫，相信多少有所會心和借鏡的。

也許大家都認爲名士的可愛處就是敢言敢行，浪漫率眞，他們眞的是毫無顧忌的「任眞無所拘」嗎？恐怕瀟灑的背後竟是痛苦，狂妄的行徑也只是一種矯情，因此我們如果聽到別人對名士的評價與認識竟是截然不同時，我們更毋須驚訝，現在就舉阮籍爲例吧，《晉書本傳》說他：

「志氣宏放，傲然獨得，任性不羈而喜怒不形於色，或閉户視書，累月不出，或登臨山水，經日忘歸……嗜酒，能嘯，善彈琴，當其得意，忽忘形骸，時人多謂之癡。」

他更猖狂的行爲，是毫不重視男女有別的禮教規條，且看本傳所載：

籍嫂常歸寧，籍相見與別。鄰家少婦有美色，當罏沽酒，籍嘗詣飲，醉便臥其側。兵家女有才色，未嫁而死，籍不識其父兄，徑往哭之，盡哀而還。

由於阮籍的行徑怪異，難怪「禮法之士，疾之若讎。」但野心勃勃的司馬昭卻偏偏稱讚他：

天下之至愼，其唯阮嗣宗乎！每與之言，言及玄遠，而未嘗評論時事，臧否人物，可謂至愼乎！

阮籍的疏狂不羈，人所共知，但阮籍的愼言遠禍，則人所不能；甚至飲酒也是他遠禍的方法之一。比如他不想跟司馬氏成爲親家，又不敢親口拒絕婚事，他便大醉六十日，使求婚的人開不得口。這不但使阮籍保存了性命，同時也可以爲其他狂妄的舉動，找到「護身符」，別人要從他的話裡找到「欲加之罪」的藉口，他卻可推宕：「但恨多謬誤，君當恕罪人」（借用陶淵明飲酒詩二十）阮籍這般的掩飾自己的喜怒哀樂，是爲了魏晉之際，「天下多故，名士少有全者」，爲了苟全性命於亂世而不得不然，至於他的不重男女有別的禮法，更由於行徑坦蕩，未嘗不可視爲「爲月憂雲」、「憐花薄命」的才子行徑；亦是「花不忍見其落，月不忍見其沉，美人不忍見其夭」之情癡，仍可不視爲矯情作態。

但阮籍居母喪的表現，卻不免使人寒心。阮籍平素事母至孝，但

「母終，正與人圍碁，對者求止，籍留與決賭，既而飲酒二斗，舉聲一號，吐血數升。及將葬，食一蒸肫，飲二斗酒，然後臨訣直言窮矣，舉聲一號，因又吐血數升，毀瘠骨立，殆至滅性。斐楷往

弔之，籍散髮箕踞，醉而直視……（嵇康）齎酒挾琴造焉，籍大悅，乃見青眼。」

阮籍內心喪母之痛，由其「吐血數升，毀瘠骨立」可見眞是椎骨刺心，但他偏偏又要留客決弈，又對弔祭者加以青白眼，不免使人有矯情造作之感。因爲居喪之哀，不只是禮，更是一片哀情的流露。若阮籍只沈溺於喪母之痛，唯慟哭如孺子，何有心思爲此怪異之舉，故示與衆不同。魏晉名士的通病恐怕就是時刻不忘將禮教凸出成一孤懸之概念，視爲反抗的對象；藉矜亢以顯虛妄之眞。像阮籍就是因爲平素激憤的習氣機括已成，陷溺甚深，雖在母喪之哀戚中，亦不能暢通其性情之眞，反顯其僞，則其他怪異的行徑，更會等而下之，成爲求名的「終南捷徑」了。難怪牟宗三先生要責怪這種現象：

本屬性情之事，而卻轉移之藉以顯世俗之惡濁，成一客觀禮俗問題之激盪，社會人品分野之鬥爭。主觀性情之事，轉化而爲客觀之憤世嫉俗，則一切皆僞，遂使風俗益壞，而人心益發不可收拾。（《才性與玄理》）

名士藉狂誕以僞己僞人，不惜將本性之事化爲矯俗之舉，表面上是孤標傲世，不受禮俗的束縛，實際反而陷於標奇立異，矯情矯行的囹圄。使生命之眞義，更從此迷惑而不得彰顯。因此阮籍的痛苦與矛盾，並不因不守禮而得到解脫，反而有悔不當初之感。且看阮籍對自己的生活方式，也是採取一種自我否定的態度便可得知。比如本傳就記載他告誡兒子，不能學爲名士的話：

仲容（阮咸，籍之姪）已豫吾此流，汝不得復爾。

阮籍的兒子阮渾，少慕通達，不飾小節，別人都以爲他深得父風，但阮籍卻語重心長的點醒他，以免重蹈自己的覆轍。所謂舐犢情深，處倫常之際，最能見眞情。阮籍這番話自然是說得很沈痛，絕不是平素兒戲的態度。阮籍一生的灑脫，實際是無奈的，有心想當名士的年輕人，難道不該再仔細想想自己該走的路嗎？

智者的安排——

談信陵君救趙中侯嬴之死

春秋戰國的百家爭鳴，文武爭馳，迸發出中國歷史舞臺上奪目的異彩：不但學術思想領域中出現開山立派的一代宗師，民間草野亦臥虎藏龍，甚至販夫走卒中亦不乏奇人異士；尤其在四大公子喜賓客之風氣下，更覺人才倍出，爭妍競秀。而細察四大公子之得士，以信陵爲最，且看太史公雖亦記載孟嘗君、平原君之好士，唯獨對信陵君讚嘆曰：（見《史記魏公子列傳第十七》）

天下諸公子亦有喜士者矣，然信陵君之接巖穴隱者，不恥下交，有以也，名冠諸侯，不虛耳。

（按沈家本認爲：「有以者，言公子之不恥下交，非若諸公子之徒爲豪舉，欲得巖穴之士爲魏用也，三字內含蓄不盡。」證諸史記孟嘗君列傳、平原君列傳，太史公確有推尊信陵之意。）

而信陵門下之士，又以侯生最爲特出。二人之相知相遇，乃使信陵能救趙，且遏止秦兼併天下達十年之久，可謂異數，亦難得之事也。

筆者何以認定信陵之士以侯生爲最？且看魏公子列傳中，太史公以鉅大之篇幅（約爲全文三分之二），詳述信陵與侯生交往之經過，可謂極繪影繪聲之能事，而字裡行間更透露端倪，史遷所記述者雖爲信陵，但中心人物卻在侯生——微侯生則不能成信陵好士之名，更不能成以後救趙之功！侯生的表現，一切都有深意！値得讀者玩味。

信陵之遇侯生，似是有意折節下交，但實際一切安排，無不在侯生掌握之中。先是信陵厚遺侯生，而侯生竟託詞「不以爲監門困故而受公子財」、「有損修身絜行數十年之德」而不領情，於是信陵不得不以更隆重之禮結交之。先在家置酒設宴，賓客坐定，然後親自駕車相迎，而何物侯生竟昂然攝敝衣冠上座，毫不推辭，而更不合情理的要求公子枉車駕過訪其友屠夫朱亥，並故意久立與客交談，以觀察公子是否有不耐之容色，好個信陵卻是「顏色愈和」，但從騎已不耐煩而竊罵侯生。（此正可映襯信陵度量確亦有勝人者。）而侯生入席後，反大言不慚，以爲「今日嬴之爲公子亦足矣。」自認因爲自己對信陵的一番無禮，反使市人皆以己爲小人而以信陵爲長者，能下士。此番不臣之舉，狂妄之中，別具用心，難怪信陵不以爲嫌，而由此更敬重之。而侯生對信陵先加考驗之舉，更頗有孟子不見諸侯猶以爲禮之氣概，可見侯生之矜持自重不可辱之操守。（按《孟子公孫丑章》嘗云：「故將大有爲之君，必有所不召之臣，欲有謀焉則就之，其尊德樂道，不如是，不足與有爲也」。）

信陵與侯生之遇合，縱如魚得水，相交甚歡，但若無趙被秦困而求助於魏之事發生，侯生對信陵縱有所助益，亦不過爲平常之計，作用不顯，而由於此事之發生，始覺侯生慮周行果，確非尋常人物，不枉信陵之厚愛。魏安釐王二十年，秦昭王進兵圍邯鄲，而魏王雖應趙之請派將軍晉鄙率十萬之衆救趙，卻因懼秦而存觀望之心，令大軍駐於鄴而不肯眞正動兵以解倒懸之困，致平原君情急，不斷派使者以詞激信陵，責備信陵浪得虛名，未能急人之困，更忘姐弟之情。（信陵之姐爲平原君夫人，婚構相援之作用，史遷載其言再三，具見平原君情急之狀，亦足證婚姻與政治之利害相關也。）而信陵在屢請魏王不得之情況下，乃興飛蛾撲火，與趙俱亡之念，自率車騎百餘乘以解邯鄲之圍，以免貽人口實。但最令信陵不堪的是，當他慷慨激昂以告侯生必死之狀時，侯生竟淡然處之，告以「老臣不能從。」，信陵且行且思，心中越不平，以爲己待侯生厚矣，何以侯生竟「無一言半辭」送之？（養士千日，用在一時，信陵思侯生當有以報之之情，亦世人施恩望報之心也，賢如信陵亦不免矣！），乃去而復返，質詢侯生。

孰知信陵此番心態，已盡在侯生計算之中，故笑迎之曰：「公子遇臣厚，公子往而臣不送，是以知公子恨之復返也。」（此老可謂對信陵知之甚稔，而信陵個性猶有計小見短而未能果敢之病，亦由此可見。），於是二人屏人閒語，密商大計。侯生以爲以卵擊石，徒然犧牲而已，當利用公子曾有恩於魏王寵姬之交情（曾爲其處置殺父之仇人），請如姬以出入王臥室之便，竊盜兵符，以取代晉鄙將兵，方能成事。（又是一個有恩，足見市恩示惠，確爲得死士之方，難怪馮諼要爲孟嘗市義。）果然如姬爲了報恩，冒必死之險，助信陵盜得虎符。

虎符既得，似勝卷在握矣，但侯生猶以爲未足，怕晉鄙多疑，即合符亦不肯授兵權，所謂「將在外，主令有所不受」，因此還推薦朱亥與公子俱，以便必要時椎殺晉鄙，強行取代，而朱亥亦以信陵賞識在先，平日不報謝，乃以為「小禮無所用，令公子有急，正效命之秋地。」立即進隨效命。後來一切進展演變，果如侯生所料。信陵至軍中，雖有虎符得見晉鄙，但晉鄙果疑其何以單車代之，不肯相信，幸賴朱亥馬上椎殺晉鄙以樹威，使部下不敢多疑而抗命，更示恩放還兵士中父子、兄弟同營者一人回家，以選兵八萬擊秦，由於魏兵一改觀望之態發動攻勢，士氣如虹，使秦不想正面交鋒以免損兵折將因而退兵，邯鄲之圍既解，秦併吞天下之氣燄亦大挫，六國得享太平十年，可謂賴信陵救趙之賜也。

侯生送公子上路之日，即曾曰：「臣宜從，老不能，請數公子行日以至晉鄙軍之日，北鄉自剄，以送公子。」後來侯生果然在公子至晉鄙軍時自殺。若問侯生為何選擇其時以死，更覺此老之成竹在胸而別具懷抱。蓋盜虎符之事，必為魏王知悉，如姬必受刑責，而侯生必不免受牽連，故死乃早晚之事矣，而侯生自剄之舉，若如後世史家所謂以此激勵信陵，則是只知其一，不知其餘也。蓋盜兵符救趙之事，本不得已之險招，若救趙不成或提早事洩，則信陵必成一不忠、不悌、不義之士，而信陵竟不顧一身之安危而行此僥倖之舉，亦存不成功便成仁之心，可謂死已在分料中事，亦不待侯生激勵矣！而侯生不死於信陵出發之日，則恐過早自殺，聳動聽聞而引起魏王之疑心，反使信陵不能取代晉鄙，因此乃計算妥當，待信陵取得兵權之際北嚮自剄，其所選擇之時機，恰如美國巴頓將軍所謂：「將軍應死在最後一場戰爭的最後一顆子彈上。」，是最適當不過，因一死可免魏王刑責之辱，亦可報公子知遇之恩，更能留名青史，使自己與信陵救趙之事，同為世人所傳誦，如此可謂死得其時矣！關於侯嬴之死，王維嘗作〈夷門歌〉曰：

七國雄雌猶未分，攻城殺將何紛紛，
秦兵益圍邯鄲急，魏王不救平原君，
公子爲嬴停駟馬，執轡愈恭意愈下，
亥爲屠肆鼓刀人，嬴爲夷門抱關者，
非但慷慨獻奇謀，意氣兼將身命酬，
向風刎頸送公子，七十老翁何所求？

王維已看出侯嬴非無所求，但求爲何，則有待讀者細察。縱觀侯嬴一生不得志，七十始遇信陵，可謂時已晚矣，但自得信陵禮遇，不由得便激起「君子死知己」，「但留身後名」的念頭，凡事都能洞燭機先，預爲安排，其對天下情勢及人心動向，可謂瞭若指掌，而計劃之周詳完備，更覺算無遺策，彷如諸葛武侯當年未出隆中，已定天下三分之計。因此侯生之死，可說是智慧的抉擇，使生命的最後時刻，有如斜陽殘照之餘輝奪目，雖短暫卻絢燦，永爲世人讚嘆！侯生雖懷才莫遇，委身草莽，而晚得知遇，終死得其所，亦可以無憾矣！

傳統的知識分子，最感到無奈的是無所用於世，最怕的是「寂寞身後名」，連孔子也感歎：「四十五十無名，亦已焉哉。」但人生際遇不如人意者十之八九，世人少年騰達，一帆風順者實罕如鳳毛麟角，唯有身居下位或年老已垂老之時，力求窮且益堅，或尚可把握機會，一舉而用於世，若是自暴自棄，徒然憤世嫉俗，則恐「生無益於時，死無損於世」，是眞輕如鴻毛矣！但所謂「世有伯樂而後有千里馬」，千里馬常有而伯樂罕見，亦不得不爲千古懷才莫遇者悲！賢如平原，亦嘗責信陵不當求處士毛公、薛公於博徒賣漿者中，其他「買櫝還珠」，使明珠投暗之當道者，更比比皆是，則人才不被泯沒亦殊難矣！太史公傳信陵，即所以傳侯生，使此幕後英雄大白於世，豈無所用其心哉？而世之求才者，能如信陵之不恥下交者亦幾希矣！

從孔子的師道

——談教師的職業倫理

由於環境的變遷，往昔孔門那種從容講道授業，師弟融洽的風氣似難再出現，而「天地君親師」並重的老師權威更是式微，所以不少人大嘆老師難爲！但想追隨一位充滿教育愛、博學多聞的老師，仍是青年的最大夢想之一；而從事教育者，又無不嚮往孔門「弦歌洋洋」的教學生涯，因此今天仍有必要重新體認孔子的爲師之道，幫助老師成爲敬業樂業的人。傳統的權威既然已不能依賴，教師唯有以專門的知識和技能、專業的精神和方法，從實際教學的表現來獲得權威和敬重，這就是教育界今天所重視的職業倫理。試分論如後：

一、專業的素養

每行每業，均有其所師尊者，比如木匠崇拜魯班爲先師，中醫以華陀爲尊，都是因爲他們在其行業上有湛深的專長及卓然的成就而受敬仰。古人爲求藝業的專精，可謂用盡苦心。傳說古代樂師師曠，爲怕自己分心而自毀雙目，以便專注求琴藝之提昇。此種自傷之行爲固不足爲法，但其重視所從事者，悉力以赴之敬業精神，殊令人感佩。而在專業領域內得有特殊造詣及貢獻，方能成就其崇高地位，此種職業倫理，可謂古今皆然。也許有教師抱怨學生上課不專心，致未能收到教學效果，但也不妨反省自己曾否展現專業知識之深度，以吸引學生，使之得窺「宗廟之美，百官之富」，而有興趣再深造研究，所以為達到吸引學生向學之目的，教師本身的學養必須專精廣博，今介紹孔子的專業素養，以供借鏡。

㈠孔子的博學專精

孔子的博學知禮，是被當世的人所肯定的。比如達巷黨人便曾誇他：「大哉孔子！博學而無所成名」（《子罕篇》）。的確，孔子曾說：「夏禮吾能言之……殷禮吾能言之……足則吾能徵之矣。」又說過：「周因於夏禮，所損益可知也。」可見他是熟於禮的。《史記・孔子世家》說他把詩三百篇弦歌之。他自己也說：「吾自衛返魯，然後樂正、雅頌各得其所。」他魯太師論樂，說：「樂，始作翕如也。從之，純如也。皦如也，繹如也以成。」，對《詩經》，他「一言以蔽之曰：思無邪」，可見他體認的深刻，足證他是音樂詩歌的大行家。他讀《易經》至「韋編三絕」，可見他用功之深。他又曾問禮於老聃，習樂於師襄，就教於當時的權威，所以傳統的學問成就最高。而且由於「少也賤，故多能鄙事」，對實際生活上應用之學一定也懂得不少，所以才能以禮、樂、射、御、書、數六藝教人，可以說他從聽訟之事到治國平天下之學都懂，所以定公時一受重用，三月而魯大治。由於博學而專精，所以孔子能成為第一位專業老師，也能傳承發揚我國文化，使後人有「天不生仲尼，萬古如長夜」之嘆。所以老師如果學養淵博，像一座挖不完的寶藏，學生怎能不悅從？可以說專業素養是從事教育者的先決條件，必須自我充實。

(二) 孔子的「道器並重」

一般人都公認孔子教人最重視道。而道可說是儒家由「明明德」以至「止於至善」的內聖外王的道術，也是孔子所認爲的做學問和做人做事所要達到的大路和境界，所以孔子常說：「朝聞道，夕死可矣。」又說：「君子憂道不憂貧。」但羅香林教授的〈論語中的孔子學說體系〉一文，卻指出孔子同時也重視器。比如他說：「君子不器」，又把子貢比喻爲瑚璉之器。可見器是屬於材具方面的使用，可爲寄託儒家開物的高藝，所以有時稱之爲藝。他曾說弟子：「求也藝，於從政乎何有？」孔子講《詩經》時，一面使學生明白如何興、觀、群、怨、事父事君之理，一面教學生多識鳥獸草木之名，這便是即物窮理的格致之學，也就是相當於現代的應用科學或自然科學。

由孔子所說的：「士志於道，據於德，依於仁，游於藝」，可見孔子無論所學所教，都是道器並重，乃至於道器融合的。可惜後來傳述孔子學說的人，多數忽略了孔子有關器或藝方面的造詣和主張，慢慢形成傳統重道不重器的傾向，結果不但使我國自然科學或應用科學方面的研究比較寥落，其次也影響了教學的方法，多流於抽象空洞的解釋或單調的背誦默寫，引不起學生學習的興趣，所以一個具備專業素養的教師，其實也該懂得利用教材教具來輔助教學才是。

(三) 孔子的名實互證

教育工作不但是教人如何去求知，而且要教人如何去做人做事，而下手的方法，就是名實互證之道。照羅香林教授的分析，包括下面四點：

第一要正名順言：比如子路問孔子爲政以何事爲先，孔子便告訴他：「必也正名乎……名不正、則言不順、言不順則事不成。」就學問的發展上說來，正名是一切論辨的開端；就做人做事的程序上說來，正了名，才能分別各人的職責，使之各守本份，各盡能力，所以爲政要從正名始。

第二要依實定名：名如何去正，就是要依實而定，正如子貢問孔子何以謂之文。孔子的回答是：「敏而好學，不恥下問，是以謂之文」（《公冶長篇》）可見有敏而好學之實才能受「文子」之名。

第三去實無名：孔子曾說：「君子去仁，惡乎成名？君子無終食之間違仁。造次必於是，顚沛必於是。」若果君子不能行仁愛之道，便不能享君子之名。總之，名實要力求相符，不能有名無實。

第四名必務實：齊景公問政於孔子，孔子曾告訴他：「君君、臣臣、父父、子子」之理，這其中前面的君臣父子等字是指所正的名，後一君臣父子等字是指爲君臣父子的責任，也就是爲君爲臣的有了名便須盡到職責，否則，便會受到道德或國法的制裁，其名亦被否認。

孔子名實互證的修養，若能充分發揮，當不止限於春秋正名分的作用而已，更含有學術上理則學的傾向。如果教者能具備縝密的思辨邏輯，也更能在講學時使學生認清是非，能再作精密的研究，對中國人「大而化之」的習性也是一種補救之方，可惜未被重視。

(四) 孔子的學思兼顧

孔子曾說自己：「非生而知之者，好古敏以求之者也。」其實他的致知，除了在古籍上研求外，還能多問、多聞、多見多識，比如入太廟，掌握機會「每事問」，他是個「學無常師」、「學如不及猶恐失之」的人！

但是孔子的學習不是徒重記誦或食古不化。他曾說「學而不思則罔，思而不學則殆」，可見孔子更強調思考與學習配合，所以才能「多聞、擇其善者而從之，多見而識之」，這明智的抉擇，已包含博學、審問、愼思、明辨的過程，是理性的思辨結果。由於孔子思慮深刻周到，所以心胸也能開明開放，不囿於成見，處事便能「毋意、毋必、毋固、毋我」，而對人也能「衆好之，必察焉；衆惡之，必察焉」，不被世俗左右。知識分子之可貴，在其先知先覺，能爲濁世清流，故必有獨到之見解及正確的認知。這種愼思明辨的工夫，在今日資訊充斥、各種言論風起雲湧的環境下，更當具備。否則，從事教育工作者本身充滿偏見，自不能培養學生有理性，甚至更形成爲推行民主自由的阻力與動蕩不安之因，所以思辨的工夫是教師當具備的。

(五) 孔子的知行合一

《論語》全書，開宗明義就說：「學而時習之，不亦悅乎？」而所謂習，就有實行、實踐的意義。孔子所講的致知，除了重視知的本身作用之外，還要「即知譬德」，以之啓發德目或充實品德，形諸於行爲上。孔子曾說：「古之學者爲己，今之學者爲人」，就是提醒學生不可爲人而學，以免陷於急功近利；爲己而學，才能克己復禮，成就君子。孔子更曾明白的說：「弟子入則孝，出則悌，謹而信，泛愛衆而親仁，行有餘力，則以學文。」又說：「君子食無求飽，居無求安，敏於事而愼於言，就有道而正焉，可謂好學也已。」更直接指出所學以做人爲先，所以他列舉四科時，也以德行居首。在弟子當中，他獨許顏淵好學，接著卻說：「不遷怒、不貳過。」好學本是求知之事，但孔子以爲學得好，一定表現在行爲上，可見孔子主張一切學問貴乎實踐，他便是力行其道的人。

西方自蘇格拉底、柏拉圖以降，多以倫理學爲知識之學，所以只講知識而不重行爲的印證，但不能在行爲上實踐的知識，只能產生「以物爲本」，或「以神爲本」之學，而未能涉及「以人爲本」之事。（參看謝幼偉：《中西哲學論文集》）。教育工作原本就是教人爲人之事，知識之追求，必須落在生活實踐上方有意義，故所謂專業之素養，亦非只重知識而是求能知行合一。尤其教人時，人格的感召，永遠大於知識的思辨。有眞人而後有眞知，知識若不是來自眞實的感動，永遠不能提昇人。孔子所悟的知識，都能在行爲上和盤托出，所以才能使弟子有眞實的感受。有人說過，誰想成爲詩人，本身生活就得像一首詩！也可說一位教育家也必定能實踐他所說的教育理想。言行合一，先正己而後正人，正是教育家的風範！

二、進修的恆心

一個具備充分專業學養的人，按理來說，對自己的行業一定已能勝任愉快，但所謂「日新又新」，世界的知識文明，不斷飛躍進步，而爲學更是「學海無涯」之事，教師爲配合潮流的演變，自然也要不斷的充實自己，再作進修研究。現在有許多在工作上已有成就的人，還肯放棄令人艷羨的高薪或職位，跑到學院再去「充電」，正是不自滿的好榜樣。身爲教師，更要具備這種不斷進修的精神。

(一) 孔子的「溫故知新」

孔子曾說：「溫故知新，可以爲師矣。」溫故是使既得的知識保存不失，或使既得的知識獲得更深一層的理解，但這還不夠，還要時常增加些新知識，方足保持自己的進步。至於如何溫故知新呢？子夏的話可供參考：「日知其所亡，月毋忘其所能，可謂好學也已矣」教師一定要保持謙虛的心境，不敢自滿，要負起使自身學識進步的義務，才能達到朱子所說的：「舊學商量益邃密，新知涵養轉深沉」的境界，擁有多方面的學識。總之，教師必須是個好學者，不斷浸淫在學術領域中，時有新意曉悟學生，才能鼓勵學生不斷求進步，收到教學相長的效果。

(二) 孔子的「學不厭、教不倦」

孔子一生不敢自許爲忠信者，或聖與仁，但敢以好學自命。當葉公問子路：「孔子爲人如何？」子路不知從何說起時，孔子便告訴他，可以這樣回答：「其爲人也，發憤忘食，樂以忘憂，不知老之將至云爾」（《述而》）。這裡所說的便是發憤治學、樂於教學之意。因爲發憤是樂，所以不知老之將至，可知孔子確是學到老、教到老，將生命與教學融爲一體的人，所以才能產生深遠的影響。

教師若能不僅視教學爲一種職業，更有樂於研究進修的熱忱，自能產生一種精神的感召，所以當孔子說：「若聖與仁，則吾豈敢？抑爲之不厭、誨人不倦，則可謂云已矣！」弟子公西華便說這種精神正是弟子學不來的。可見老師的進德修業，一定會使學生自愧不如而更上進努力。

三、教學的技巧

孟子曾說：「君子所以教者五：有如時雨化之者，有成德者，有達財者，有答問者，有私淑艾者。」又說：「教亦多術矣，予不屑之教誨之者，是亦教誨之而矣。」教學是否有方，影響學生的學習效果甚鉅，孔子教學生，往往因學生的才具不同而異，而且隨機觸發，可以說是最靈活的，不愧為萬世師表，更值得借鏡。今分析如下：

(一) 有教無類、因材施教

大家都推許孔子首開私家講學之風，「有教無類」。至於無類的意義，多認爲是不以一定的種類爲限，即不分尊卑貧富賢愚一律施教。但陳大齊教授更認爲：「試從師術的觀點來解釋這句話，則教法的種類與成才的種類，似亦應爲其所兼攝。依此解釋，所謂無類，意即教授的方法，必須隨宜變易，不可拘於一格，造就人才必須分別適應其人的素質，不可用同一模型勉強鑄成同樣的人物。教授不墨守刻板的方法，庶可各得其宜，而使學生易於領悟，造就不應用同一模型，庶可發展各人的個性，以成有用之才。」（《孔子學說論集》）

孔子長期與學生生活在一起　的確最了解學生的才具，所以他的指點也最能切中學生的需要。孔子對學生的因材施教，最有名的例子是《論語．先進》所載的公西華的疑惑：「由也問聞斯行諸？子曰：『有父兄在』，求也問聞斯行諸，子曰：『聞斯行之』，赤也惑，敢問。」的確令人費解的是同一個問題，何以孔子的答案竟截然相反？他的解釋是：「求也退，故進之；由也兼人，故退之。」這便是說針對二人不同的個性作風所以給予不同的指點。

孔子這種因材施教的作風，也許大家認爲已無法施行在學校考試命題和評量都力求統一齊平的今日，但有心的教師，仍可針對自己的學生，作不同的要求。比如鼓勵學生的進步是和自己相比。不一定要和別人比，對成績較差的學生，只要有些少進步，便加讚許，相信也必能加強其信心，不致自暴自棄。教師如能使學生各盡其才、各有所成，便不致因「恨鐵不成鋼」而對學生的要求過於嚴苛，甚至施以責打，激起學生仇恨反抗的心態，使安寧的校園，竟有血腥之事爆發，成爲人生的悲劇！

(二) 隨機觸發、循循善誘

孔子講學的方式是活潑的，更不拘限於時間場地。比如孔鯉趨庭，孔子叫住他問有否學詩學禮，並提醒他：「不學詩，無以言；不學禮，無以立。」在他被匡人包圍時，爲安撫學生的情緒，仍跟弟子講學，照常彈琴、唱歌。

爲了鼓勵學生暢所欲言，孔子有時也會主動的挑起話題，如《先進篇》所載的，他告訴子路、曾晳、冉有、公西華說：「以吾一日長乎爾，毋吾以也！居則曰不吾知也，如或知爾，則何以哉？」要他們各言其志。當曾點自覺「異乎三子者之撰」而不好意思說出自己之志時，孔子卻特意問他，使他也有表白的機會。

孔子教學的循循善誘，可以使學生貫通所學而更有心得，比如子夏讀到《詩經》「巧笑倩兮、美目盼兮、素以爲絢兮」，孔子指點他「繪事後素」的道理，讓子夏能以古喻今，領悟到「禮後乎」（即禮樂教化須以樸實的本性爲基礎）的深意。他又能使學生以今喻古，比如子貢以爲「貧而無諂、富而無驕」已是很好，但孔子卻說不如：「貧而樂道，富而好禮」，子貢遂悟詩經中的「如切如磋，如琢如磨」，正是形容精益求精的爲學方法。孔子對衆人的開啓，使弟子顏淵喟然嘆曰；「夫子循循然善誘人，博我以文，約我以禮，欲罷不能。」

今日雖說升學競爭激烈，老師爲了急於見到學生有好的成績，有時不能避免「揠苗助長」之事，但不妨先行熟悉教材，按其輕重難易，由淺入深的施教，使學生易於領悟而跟上進度，不致因老師所授過於艱深難懂而興趣索然，甚至因而放棄所學，甘居下流，形成青少年犯罪日趨嚴重的不幸，所以教師在教學方法技巧上不得不講究。

(三) 不憤不啓、不悱不發

孔子教人時，大致是要求弟子立志向學，自己用功，再隨機點化，所以他曾說：「不憤不啓，不悱不發，舉一隅，不以三隅反，則不復也。」的確，若學生沒有學習的意願，完全被動，再好的老師也無能爲力。再者，眞正的理解，也必須由內而發，透過反省掌握問題的各方面，然後可以解謎出惑。所以《荀子．勸學篇》上說的：「傲，非也，囋，非也，君子如嚮矣」，便是提醒教者不必急躁多言，要待學者，主動發問求解，才能收到效果。《論語．陽貨篇》記載孺悲欲見孔子，孔子先推辭有病不見，但又故意在室內鼓瑟而歌，使其聞之。程子說：「此孟子所謂不屑之教誨，所以深教之也。」採用這種不禮貌的態度，也在刺激孺悲反省，自己是否有過錯，所以孔子才不肯接見。這也是另外一種的啓發指引。

孔子樂育人才，所以對於有志向上的人總是多予鼓勵。比如互鄉童子求見，門人以其出身所在不佳而誤認孔子不當接見，但孔子卻說：「與其進也，不與其退也。唯何甚，人潔己以進，與其潔也，不保其往也」（〈述而〉），可見對有志上進者，孔子絕對樂於玉成，而且不論其人質資如何，亦盡心指導。所以他說：「有鄙夫問於我，空空如也；我叩其兩端而竭焉。」（〈子罕〉）。由於鄙夫力不能問，孔子便降而俯就，反問以啓發。這種不厭其煩的親切態度，充分表現一個老師的耐心和愛心，能如此引導開發，縱平庸之徒，亦有所領悟矣！

四、人格的修養

孔子的思想學說，能獲得普遍的共鳴，成爲中國人文傳統的主流。照「傅佩榮：《孔子的教育理想》」一文所說：「主要是由於他對人性的本質有深刻的認識，由此指出禮樂教化不只是外在規範，而是與人的道德規範相輔相成的。」所以孔子的最大成就是在人格教育和人文教育方面。一個能以學問道德教人的教育家，若果本身的修養不夠好，如何傳道？所以嚴格的自律，成就高尙的道德，更是必要的。

(一) 誠以待人、主敬自省

孔子對自己的言行，一向是坦蕩蕩的，所以才敢說：「吾無行而不與二三子者。」他不隱好惡，更不藏私。所以陳亢在問過伯魚有否異聞後，退而喜曰：「問一得三，聞詩、聞禮、又聞君子之遠其子也。」由於孔子以誠待人，所以對兒子和學生一視同仁。

孔子更是時常自我反省的人，所以他說：「德之不修，學之不講，聞義不能徙，不善不能改，是吾憂也」（〈述而篇〉），他也特別讚許顏淵的自律嚴格，能做到「其心三月不違仁」，而指責聰明的子貢不應好「方人」。他不斷鼓勵門弟子要「見賢思齊，見不賢而內自省」，在他以身作則的感召下，慢慢形成儒家最重要的道德規範：一切反求諸己，做人做事總是「躬自厚而薄責於人。」弟子中雖說「柴愚、參魯、師辟、由喭」各有氣質上的偏差，但終能有所改進而不失爲君子。

(二) 有過必改、尊重他人

孔子不喜鄉愿及巧言令色之徒，所以他自己絕不文過飾非，甚至說：「丘也幸，苟有過，人必知之。」當他說錯話時，他會向學生認錯的。《論語．陽貨篇》曾記載：「子之武城，聞弦歌之聲，夫子莞爾而笑曰：『割雞焉用牛刀？』子游對曰：『昔者偃也聞諸夫子：君子學道則愛人，小人學道則易使也。』，子曰：『二三子，偃之言是也，前言戲之耳。』」，由此可知孔子對待學生，不以權威加之，而以平等尊重的精神相待。

某些對於儒家倫理道德不全然了解者，誤以爲儒家主張尊卑有別的觀念，就是不尊重個人的人格獨立，所以已不適用於今日崇尚民主平等的社會，殊不知孔子及眞正儒者最重視人格的尊嚴，因此對每個人的價値都加以肯定和尊重，所以說：「匹夫不可奪志」。何況，孔子主張「仁者愛人」，試問愛人者，怎會輕視別人或抹煞個人？所以孔子一向尊重學生個人的見解及人格思想。比如孔子向來不讚成隱者的「不仕無義」，更主張「天下無道」之際，要「知其不可而爲」。但對弟子曾點說只想過寧靜舒坦的日子，大有隱者的作風傾向時，孔子只嘆曰：「吾與點也」！可見孔子的尊重門弟子的性向及個人抉擇，這種胸襟不是一個只重視權威的教條主義者所能企及的！

(三) 講學論道、其爭也君子

孔子也是一個極有正義感的人，有時爲分別是非，對學生的錯誤也會提出嚴正的指責，所以當冉求爲「富於周公」的季氏聚歛附益時，孔子便痛心的說：「非吾徒也，小子鳴鼓而攻之，可也。」可見他的不姑息徇私。孔子教弟子有時也會遭遇弟子不悅從的情悅，比如宰予反對三年之喪最力，由於在事理上，孔子不能責其不是，只得慨嘆宰予之無情說：「予也有三年之愛於其父母乎？」但孔子未嘗以老師之權威脅迫其順從，可見這種爭辯是其爭也君子。

孔子甚至鼓勵學生「當仁不讓於師」，爲所當爲，不必拘泥，大有「吾愛吾師，吾尤愛眞理」的風範。今日從事教育的人，也當以孔子爲榜樣，在教學活動中表現出自己的人格情操、知識、技能，成爲一位値得學生尊敬的老師，而不是藉身份權威以訓人的專制者！

五、樂業的精神

所謂「知之者不如好之者，好之者不如樂之者」，在談及教師的種種修養及人格特質時，我們仍不得不承認樂業精神是最好的，因爲能長久不懈怠、不厭倦所做的事，最主要是靠眞正的喜愛，教師由敬業進而樂業，所獲得的安慰與快樂必日增，所以教人時不妨以韓文公所說的「毋忘其速成，毋誘於勢利」以自勉。教師如能不急於從學生身上看到成果，獲得回報，只是先行付出，做個快樂的播種者，總有看到開花結果的的一天。比如孔門學生的氣質其實多不齊，但在孔子長期薰陶下，終於起了莫大的變化。像子路是個急躁的人，甚至被孔子指爲「野人」，但子路死於衛難時，嘗正衣冠端坐而死，以示不忘師訓。曾被孔子責爲「朽木不可雕也」的宰予，亦承認孔子「賢於堯舜遠矣」，可見他對孔子仍是心悅誠服的。而曾被孔子認爲不如顏回的子貢，心甘情願爲孔子守六年之喪，可見孔子教化的成功！

今日我們雖然不能盡得天下英才而育之，但本著樂於與人爲善的心去教學生，相信也能使學生收益。「大者成其大，小者成其小」，不致一無所成。因此可說教師的專業倫理，最主要就是保有一份高貴無私的教育愛去敬業樂業而已！